西域美術一
大英博物館斯坦因蒐集品
〔敦煌繪畫1〕

編集·解說｜**羅德瑞克·韋陀**（Roderick Whitefield）

編譯｜**林保堯**

藝術家
Artist Publishing Co.

目錄

Contents

圖版目錄

前言

Foreword

此套《西域美術》全集共有三卷，是上個世紀初奧雷爾・斯坦因（Marc Aurel Stein, 1862-1943）在中國，以及西域各地收集的美術工藝品的一部圖錄套書。

斯坦因博士的蒐集品，是他於 1900-1901 年、1906-1908 年及 1913-1916 年，三次長期間探險旅行的成果。斯坦因為了盡可能踏查更廣的區域，每次都踏尋不同的路徑。第一次探險，先越過帕米爾高原，再穿過喀什噶爾，由此遠赴和闐、丹丹烏里克、尼雅、案達勒等地，沿著塔克拉馬干沙漠南端，調查古代的遺跡。第二次探險，從帕夏瓦走與前次不同的道路，走出喀什噶爾之後，再進入和闐近郊的古代遺跡。特別是調查葉爾羌，和再次調查丹丹烏里克之後，遠赴敦煌、肅州（酒泉），甚至足跡盡達石羊河流域。斯坦因自敦煌藏經洞獲致大量的經典和繪畫類等資料，就是在第二次探險時所探獲。該藏經洞在 1900 年由道教僧人王圓籙所發現，洞內還保持著當初原有的狀態。第三次探險，斯坦因的足跡更遠達東方的黑水城，在返回途中，經過了吐魯番，且走向喀什噶爾及撒馬爾干。

此套全集，第一、二卷為繪畫類，第三卷為染織品和三次探險自各地獲得的收集品中選出的優質物件。再者，敦煌發現的各種資料，現在不僅分藏保管在大英博物館和大英圖書館，而且又散在世界各地的機關中。當考量這些資料原本的一體性時，

羅德瑞克・韋陀 2014 年 02 月近照

為了賦予完整的印象，獲得了大英圖書館東洋古文書及版本部門的協助，因而在第一卷收錄了部分的經典類資料。對此，感謝該部門的協助。

　　這次的出版，很多友人給予了極大的援助，我的同僚、大英博物館東洋部的同仁們，都給予萬般的協助與忍耐，謹此特申謝忱。

1982 年 3 月　編著者

序文
Preface

◆ 斯坦因的蒐集 ◆

▍絲路與敦煌

　　所謂的「絲綢之路」，就是自古以來為了連結中國與西方諸國，以及西南方印度，所開拓出的數條穿越中亞崇山峻嶺，與各地廣闊沙漠上的流沙「隊商路道」的總稱。從中國的長安（今西安）開始出發，一直沿著河西走廊，在敦煌前端不遠處，開始分出兩條路徑。一條是沿著天山山脈南麓前進的「北道」，另一條是沿著西藏高原北側崑崙山脈北麓而前進的「南道」。北道歷經哈密、吐魯番、焉耆、龜茲，達於喀什噶爾，在此與歷經米蘭、和闐、莎車的南道交會。在喀什噶爾的稍前方，就有數條橫越帕米爾高原而來的道路，在此開始作向西和向南方向的延伸。

在南北兩道所圍起的橢圓形地勢之中，有一片廣大的塔克拉馬干沙漠橫亙其中，使得兩道都為砂石、砂礫及嶙石等所覆蓋，而且還有數所地方必須橫越過危險之山壁沙漠。在這沙漠的路徑上，人們的交流只靠著那沙漠中的綠州。旅行的隊商，在綠州可作休息，也可以在此安排下一站更長途的跋涉。綠州的氣候，不論是古代或現在都是同樣地乾燥，但那沿著南道的綠州，因為有崑崙山上冰河所融化的流水，使得沙漠上的水源較今天更為豐富。因此，沙漠上古代人們的住居場所，可以更深入於塔克拉馬干沙漠（即「大戈壁」）的內陸裡。當然，這些住居遺址，也隨著時代更迭及沙漠水源的更改而變動，被人們遺棄以至於消失於沙漠上。但是怎麼會想到，這些沙漠遺址上高度豐富性的文化資產，卻因沙漠極度乾燥的氣候，給予了幾近完整性的保存，使得千年後今天的我們，能觀賞到它那永為世人所讚嘆，且又豐彩多姿的原貌。

沙漠的聲息、隊商的音訊，都是依伴那隱伏在沙漠地底下水泉形成的「綠洲」上。那點綴在金碧流沙海上的綠洲，不僅是活動於沙漠隊商路線上人們的中間轉運站，更是促使大量民族移動的場所。而且，這樣肥沃的水源地域，也因駐屯部隊與補給基地等的設施，形成了軍事性據點的擴張。

事實上，早於前漢時代，漢武帝（西元前 140-87 年在位）基於大漢邊防戍衛的控制與西域諸國交易的需要，遷移漢家子孫七十餘萬人，居於現在的河西走廊線上。由於漢人具有先天克服惡險天候的特殊適變能力與農耕技術的成功開發，促使戰國時代以來，秦始皇所築的「萬里長城」更加突進延伸，達至於西向的玉門關口上。在此，漢武帝更為光振大漢聲威，派遣大軍，一雪當年漢高祖被匈奴大軍困於陰山之下的「平城之恥」，直逼祁連山脈，痛擊追剿死仇匈奴，終使漢家聲名，不僅震越帕米爾高原以西，且使疆域遠達於粟特、大宛諸國。西元前 121 年，殲滅匈奴的將軍霍去病，騎著馬踏匈奴的石雕，一直遺留至今，當我們凝視緬懷之際，不禁心中湧起那在大漠沙場，搖我漢家旌旗，大破匈奴的一場生動即景。漢家將相的戰守、漢家先民的

拓荒，終使敦煌這塊土地，於西元前 111 年歸於大漢，成為河西四郡之一。

　　然而千年的人類歷史，冥冥中就有無盡的邂逅與相惜。就在 20 世紀初，斯坦因博士終於在他第二次探險的第二年，即 1907 年 4 月，披星戴月、俯拾沙痕，遙望到殘存於敦煌近郊、高達 6 至 9 公尺的漢代烽火臺遺址。而且更不可思議的，就是在四郡之一的敦煌附近，他雙手觸摸到西元前一世紀的漢代木簡。這些曠世珍寶，以斯坦因博士個人的當時所知，那是中國除了青銅與石刻銘文之外，最古的真跡文獻資料。想想，西元前的霍去病將軍戰場、漢家先民雙手拓荒的生息之地──這塊「敦煌土地」，怎會料到在兩千年後，又為英籍匈牙利人的西域探險家斯坦因博士所發現，而把它藏在大英博物館呢？

　　邊陲的敦煌土地，自大漢帝國之後，就淪於番族侵入與漢家軍隊的爭戰之地，因而促使更大量的漢人子孫前往此地生息，終於漸漸形成了有門第的地方王族勢力群居之所，其中有的融於漢唐政經體制之下，也有的歸順為漢唐的番屬。

　　以敦煌這塊土地的歷史來看，與 20 世紀斯坦因博士的蒐藏品最有密切關連，且最為世人所矚目的，就是 7-8 世紀初，因於大唐王朝的一時失勢，控制此地的吐番王國（781-847 年，即今日西藏）。後來吐番也終為誓死效忠大唐王朝的地方豪族張議潮所驅逐。這段期間，敦煌雖只殘留下當時與中原保有密切聯絡的全盛時期的往日面貌，然而，這段 8 世紀後半至 9 世紀前半為吐番所統治的孤立時日，對於敦煌這塊土地來說，反而是非常幸運的遭遇了。因為，它躲過人類文化史上的一場大浩劫。在這個時代的末期，即中原適逢會昌五年（845）唐武宗廢佛毀釋的大法難，許多的佛教寺院與收藏品皆付之一炬，蒙受了最大的損失。然而敦煌土地上的一切，不僅幸免於難，而且以張議潮為首的地方王侯仍大力地進行造窟活動，繼續開鑿許多新的石窟藝術。

　　據說，當時的敦煌高僧洪䛒，由於張議潮奪回了敦煌這塊土地，開鑿了第 16 窟。在第 16 窟的甬道上有一塊〈洪䛒告身勅牒碑〉，這塊具有重要史實的碑刻，原是嵌

於第17窟的西壁。但是王圓籙道士在發現此窟時，把此碑刻移到第16窟的甬道南壁上；現在又移回原來的第17窟位置上。在這塊碑刻上銘記著：「當時的唐宣宗皇帝，因欣喜於敦煌這塊泥地，再度歸回到中國之手，因此勅命洪𧦴為河西郡的僧統，並賜予著用紫衣帶的大恩典。」近來在第17，即第16窟的甬道所開鑿的，藏有經典與繪畫類等的藏經洞內，發現有一空室，似乎就是這位高僧的「御影堂」。這個意外的發現，使研究者重新對洪𧦴這位大僧之謎，掀起高度的研究熱潮。

第16窟的甬道在離地面約1公尺處，設有第17窟的入口，而入口處卻以壁土塗平，而且在壁上描有宋代的壁畫，在其內也深藏著各種收納物品，這樣看來，這一別室是因有特別意圖而營造的。收藏物品中，有完全整理過的經卷束軸類、繪畫及文書類，以及其他尚未歸類的卷軸。這些收藏物品堆滿整個石室，而且數量也非常之多。由此可知，這也是個有計畫性的收藏。在王道士發現當初，雖然有點凌亂，但是收藏置放的狀態仍然非常整齊。關於此石室的經卷收藏問題雖有諸多說法，但其中一種說法最為可信——1038年時，這裡的漢家子民，為了防禦在中國西北部建立西夏王國的黨項族（Tangut）入侵，採取特別保護措施，將尚未用的各種宗教上的資料與文獻，一卷一卷地藏入洞室內。這種說法，在目前確實是相當有利的一種見解。

然而，這些敦煌珍貴物品卻在幾千年後，為英籍匈牙利人的斯坦因博士與法籍的伯希和（Paul Pelliot, 1878-1945）教授，以當地土民及駱駝等交通工具配合，一大箱一大箱地運走了幾千件之多。最後剩下的幾千件文書，於1910年才由清朝政府運至北平收藏。據說，這時王道士，還有偷偷隱藏於新佛像之中的最後一批資料，也被最後到達的日本探險隊弄走了。因此，這個先民付出心血與智慧所設計收藏，足以震撼人類文明史的大藏經洞，就這樣地被當時的探險者們攫奪精光，只留下一座空無一物的暗室。

藏經洞的光彩與神韻雖被攫取無遺，然而這位瘦骨嶙峋的藏經洞老人，還以其最

後一個吐呐，為中土留下最精彩的一幅憾世傑作。在那洞中的內部，有一座挖通岩壁的基壇，而在壇的背後描有一幅壁畫。此畫與通常所見的淨土或各類尊像的圖像迥異，也極為特殊。左右各配一株枝葉繁茂的寶樹，左側樹下有一持杖侍女，右側樹下站立一位持團扇的比丘尼，而且在樹上，左掛革袋，右垂水瓶。當年長期留滯在敦煌的畫家張大千，在此第17窟的壁上也依依不捨地留下明顯題記。這幅畫，確是敦煌壁畫中的上上出色之作，其色線之潤美，大大優於南宋馬和之的作品。關於這幅壁畫的造作意圖，最近才知曉，原來是壁畫前，有一尊被放置於他處的僧形坐像；當這尊坐像再度從他處移回基壇之前，使人頓時明瞭當初所取的完整構圖形樣。這個置像於壇前，與壁畫成一相呼應的構圖，早在1959年之際，已為一出版物所介紹過了。那是其後因搬運經典與繪畫類時被移動的；而當時所移動的地點就是第16窟的上方。即就這樣原般不動地擺置於第362窟裡。

這尊彫像（參見《敦煌彩塑》圖版81），可以確定就是洪䛒的尊像。依碑刻記載也知，是可斷定原來就是安置於藏經洞內的。由於這個洞內基壇與尊像構成的復原，使得不僅在佛教美術史上，就是在歷史上、文學上、宗教思想史上，這座歷經千年歲月又收藏珍貴文化至寶的小石室倉庫，除歸回其本來面貌之外，同時也使我們確切明白，這是一間完全作為禮拜安置於基壇之前，即那高僧之靈的「御影堂」。因為這類性質的御影堂，在受到中土佛教影響的東瀛之地，雖然數目不少，但是在東傳的中土，這卻是最初的一例；因此這不啻使研究者，更加清楚其來歷了嗎？再說，這座歷經漫長歲月、藏有敦煌大量文化遺產的藏經洞，其悠久歷史不僅道出敦煌這塊土地特殊歷史史實與收藏的經緯；同時，也開啟了現在已支離破碎，分散於各地博物館、美術館、圖書館，使製作地點與保存地點作「身手分離」的人類文化至寶的所有資料，各國應以虔誠磊落的學術良心全部公開，給予東、西學者作有計畫性的綜合研究。

唯此，世人才足以對藏經洞所構成的特殊中土文化意義，作一歷史文化性的追蹤。

也唯有如此，對中土敦煌龐大無盡石窟羣中，僅此一室，且又封於室中之室，而形成藏經洞世界的中土佛化思想，作一文明精神性的闡釋。

▌奧雷爾・斯坦因的西域探險

今天，斯坦因博士終生致力的事業，已是全人類所共認的；尤其他掀起敦煌藝術寶庫所引發人類東西文明交流史上的熱潮，至今仍受重視。

然而，斯坦因博士卻不是首先到達敦煌的第一位外國人。據說，他的友人名叫得・羅吉的匈牙利人，於 1879 年已造訪了敦煌石室，並且告訴斯坦因那兒有壁畫與雕刻的實情。但是首訪敦煌秘庫（藏經洞），即前述的藏經洞，而獲取無數收藏物品的，斯坦因卻是第一人。

斯坦因一生的西域探險共有三次，即 1900-1901 年、1906-1908 年、1913-1916 年；除此三次大的探險外，尚有多次特定目的之田野考古與調查。前往敦煌就是在第二次才開始的，那年，斯坦因從今巴基斯坦的帕夏瓦出發，然後直進喀什噶爾、和闐；到了第二年（1907 年 5 月 21 日）到達敦煌；開始搭起帳篷，準備長期的探訪與調查工作。當時敦煌的住民，仍是熱心於混雜著民間的信仰的佛教。然而斯坦因心中所焦慮與期待的，就是想去從當地傳聞消息中所知道的——在幾年前有一座塌下的石室洞內藏有無數的經典與古代寫本。據說那裡是歸一位不識字的王道士保管，同時也聽說是因為重修廟宇、在無意中發現的，後因官府命令又重新封鎖等等。關於此後他如何攫得這些至寶，在亞瑟・魏勒（Arthar Waley）的《敦煌輓歌》中也有敘述；而且在書後語中也記載著：「中國的人們，是將斯坦因和伯希和視作盜竊賊來看的。」事實上，就是在今天，斯坦因及隔一年後而來的伯希和，這兩位大學者攫取敦煌浩瀚的古代文書、繪畫等的行為與作法，也是世上無一人認其是正當的！但這個已為世人議論多年

的問題，也實在很難以冷靜又不帶感情的角度來看待。當然，這兩位學者的作為與態度，也決不可驚鴻一瞥地略過；我們不妨看看當時他們所持態度的時代背景與環境。這或也有助於我們對當時的各種問題，有些明確的理解吧！

1860 年至 70 年代，大清帝國屢受東土耳其斯坦的外敵侵略與威逼。此地的葉爾羌與喀什噶爾，雖於 1750 年從回教徒手中奪回，但是此地所用的語言與文化，卻是與帕米爾高原以西的西土耳其斯坦更為接近。因此到了 1870 年，回教徒發生叛亂，在塔里木盆地建立了獨立王國，而且開始威脅到大清帝國的甘肅省、山西省一帶。這時俄帝為了強制英國先機，直接進兵西土耳其斯坦，將天山山脈北側的伊犁河廣大草原至烏爾濟斯河一帶全部占領。這時，山西與甘肅的官府們組織民兵，徹底地擊垮回教徒的反叛軍，使此地域又重歸中國的主權。同時，俄帝也將占領地歸還，使得這塊爭執多年的東土耳其斯坦，於 1884 年歸為大清帝國的新疆一行省。這次疆土收復的成功，使中國人對此地的自信心大大增強，但是此地的許多方面，諸如宗教信仰與地理環境，一直與各外國發生密切的關連，特別是回教徒居民的不斷增加，使曾經榮盛的佛教故地，像與和闐這塊重要地點之間的來往，終至於音訊斷絕。

當時各外國，事實就是以大英帝國為首的列強帝國主義者們。他們對這塊大清新行省的關心，真不只限於政治面而已，還及於各方面的興趣。1890 年，英國設在印度的總督府接受了 A.F.R. 何林的提議，開始下令各地領事收集中亞各地的古美術品。各地領事歷經多年的調查與蒐集，便把收集到的中亞古美術品，配上已經收藏的貴重藝術品，於 1895-1897 年之間，陸續地運藏於加爾各答美術館。當時的何林氏，便利用此館中的蒐集品，作了個人的研究與有關的書籍出版。但其中的許多遺品，有的留在原館，也有許多被移往大英博物館。

因此，斯坦因博士的探險，雖是在中國治理下的國土上，但是卻得力於列強主義們對此廣大地域的野心與虎視；再加上此地大多數住民幾乎都是對佛教遺產毫無興趣

▌地圖

此圖僅止於與本卷敘述有關的「斯坦因博士三次西域大探險路線簡圖」。

斯坦因博士三次探險路徑，大致如下：

- 第一次探險（1900-1901）/ 喀什米爾→帕米爾高原→喀什噶爾→葉爾羌→和闐→丹丹烏里克→
  尼雅→安得悅→拉瓦克→和闐→喀什噶爾。

- 第二次探險（1906-1908）/ 喀什米爾→喀什噶爾→和闐→羅布淖爾→樓蘭→米蘭→敦煌→肅州
  →哈密→吐魯番→喀喇沙爾→庫車→和闐→阿克蘇→葉爾羌→
  和闐。

- 第三次探險（1913-1916）/ 喀什米爾→帕米爾高原→天山南路南道諸遺跡→樓蘭→敦煌→
  石羊河→黑水城→安西→吐魯番→庫車→喀什噶爾。

的回教徒。所以，在當時這樣的情形下，這些考古專家們幾乎近於長驅直入又無往不利了。

斯坦因博士，正如斯文赫定（Sven Anders Von Hedin, 1805.2.19-1952.11.26）、格林威德（Albert Grünwedel, 1856.7.31~1935.10.28）、勒柯克（Albert Von Le coq, 1860.9.8-1930.4.21）等人一樣，只是一位為此地過去所深藏的歷史文物所吸引，開始調查此一人跡未至處女地、而且祈望帶回有助於學術研究與後援機構所需的「考古學遺物」的探險家而已。但是在同樣探險的事業上，斯坦因卻具有極其旺盛的精力，不僅素有鍛鍊而且律己嚴格，縱使在充滿荊棘苦難的探險歷程上，對於加入工作考古隊的人馬與行動，都能運用自如地掌握著；再加上當地住民的好意與援助，終能把蒐集到的收藏品，從偏遠沙漠平安運達目的地的這項艱困工作，百無一失地克服完成。斯坦因雖然無法閱讀漢文，但卻是位著名的印度梵文學者，因此如何將他所發現的文獻正確地解釋讀出，想必是仰賴同行之中不知那一位的助力。

斯坦因具有超人毅力，而他能奠定往後探險偉業的基礎，可說是起自於幼年時代就培養出來的。1862 年，他出生於布達佩斯，自幼就能使用匈牙利語與德語，然後在羅勒斯汀學校學習希臘語、拉丁語、法語、英語，之後又就學於維也納、萊比錫、杜賓根等大學，並於杜賓根大學獲得學位。接著匈牙利政府遣派他到英國留學兩年，先後在牛津大學與倫敦大學專攻東方語言學與考古學。1904 年歸籍英國，1910 年受贈爵士稱號。

1885 年他曾服兵役一年，獲得了極其寶貴的地形測量經驗。這個經驗，對他日後從事調查時的測量工作，以及受聘於印度總督府測量局，擔任測量技師這一監督工作的職位，有著莫大的助益。

斯坦因早年便嚮往東方，特別是對亞歷山大大帝的東征著迷不已。雖然，他終未完成探尋此條古代東征大道的夙願，但是 1943 年，他還以八十二歲高齡探尋此東征

大道遺跡，然而在到達喀布爾時，不到數日，卻因突來的感冒而與世長辭了。1888年，斯坦因被任命為今屬巴基斯坦拉合爾的東方學院（Oriental college）校長。在此學院，他與日後助他出版種種作業的安德魯斯（F.H.Andrews）往來密切；除此之外，他不善於社交，假期幾乎都是盡量到印度各地做短期旅行。這樣歷經了幾年，他又折回歐洲，試著在學術機構裡尋找一個適宜的位置進行研究工作。但在 1898 年，也就是在他整裝前往東土耳其斯坦作考古學調查之前，恰逢當時為鎮壓布內爾暴亂，獲致與派遣軍隊同行前往的機會。這個想不到的天賜機緣，使他的雙足終於最早踩踏上西洋人皆未涉入的調查地域，以及尚無一人從事的考古學發現。事實上這次的前往，就是開啟斯坦因一生，能從事探險計畫發端的絕好機運。

斯坦因一得到印度總督府的支持，馬上放棄既有的職位，轉任於旁遮布（Panjab）這一地方的督學。1900 年春天首次開始大規模探險，不僅完成許多遺跡的發掘調查，同時還獲得極大量的考古學遺物。特別在和闐附近，發現相當數量的古文書；在古代拘彌國（即丹丹烏里克）發現了 8 世紀後半的漢文文書；在尼雅（即精絕國）附近發現了「佉盧文字」木簡，而且也獲得確是起源於古代西方的封泥，以及在案達勒遺跡發現最古的、以西藏語書寫的佛教經典。這些蒐集品，在分藏於大英博物館，加爾各答及拉合爾博物館之前，為了研究與出版，曾一度搬運至倫敦。

斯坦因其後的兩次探險與調查方法，幾乎都與之前相同。即慎重綿密的計畫、當局者的關心與支援、精通沿途當地古語及俗語的使用、全部行程的持續性測量及照相紀錄，以及作為其後個人性旅行或出版書籍材料的詳細日記、購入用品或發掘品等所有蒐集物品的詳細記錄、同行幫伕的組織及運送作業，最後，就是為了準備詳細巨冊的報告書作業，羅致龐大學者陣容前來協助。

第一次大探險的旅行記，在 1903 年以《埋於沙漠的和闐遺跡》（*Sand-buried Ruins of Khotan*）書名出版；但是正式的報告書，遲至1907年才以《古代和闐》（*Ancient*

Khotan）的兩巨冊書名出版。斯坦因博士在和闐的發掘品，立即給予同時代歐洲學者們莫大的助益。

斯坦因停留倫敦期間，所作成收錄於《古代和闐》一書中的收集品目錄，是借助於摯友安德魯斯之手。這時斯坦因本人，卻窩藏於大英博物館的地下室裡，日夜忙於他日後所要提出的旅行計畫。終於，好不容易獲得許可，他又展開 1906 年的第二次大探險。費用的五分之三是由印度總督府負擔，另外五分之二則由大英博物館支出。是年 4 月啟程，這次斯坦因才明確地踏尋到中國史書所記載的——唐代高仙芝將軍於 747 年率大軍橫越帕米爾高原的實地路線遺跡。在和闐地區，也探尋到古代的都城吐峪溝。吐峪溝的發掘品，以及第二次古代拘彌國調查發現的板畫等，都收錄於這次的圖錄裡。由此，在向東約離 800 公里的米蘭，獲得了一連串的貴重壁畫。這些壁畫，在距離上雖距中亞有相當長遠的路程，但很明顯地是受到犍陀羅的影響。現在這些珍品收藏於新德里國立博物館中。

這回第二次有計畫的探險，斯坦因博士與追求同樣目標的德國及法國探險隊，激起互別苗頭、相互競爭的意識。特別是有關羅布淖爾與沙洲（即敦煌）的探險，法國雖發表探訪此兩地的計畫，但是最後的結果，能夠快速的橫越過整片已為鹽沙所覆蓋的古代蒲冒海（即羅布淖爾湖），而到達古代樓蘭遺跡的，還是以斯坦因為最早；而且在直進敦煌的目的地上，也比法國探險隊早一年以上。1907 年 3 月，斯坦因到達敦煌後，先大略地環視石窟一遍，然後足足以兩個月時間，將每隔 4 公里，且接近有 100 公里的漢代望樓台遺跡，作了徹底的探索性的調查，而與此遺跡相鄰的居住地址及垃圾場址等，也作了詳細的發掘調查，終於他發現到一座以壁土圍繞，周長幾達 150 公尺的大建築物。斯坦因認為這是一座西元前一世紀，漢代官軍在邊境上貯存兵士生活必需品的貯藏庫。這個遺址的發掘，確實使兩千年前這裡兵士的軍旅生活，如實般地浮現出來，使人深切感受到敦煌這個據點，具備有兵家必爭的重要性。

接著 5 月下旬至 6 月上旬，就是斯坦因說服王圓籙道士而獲得多達幾千件古文書、古經典寫本與各種繪畫類的關鍵時間點。關於這些最高文化至寶的獲得經緯，在他第二次的個人探險旅行記中，即《中國沙漠地域的遺跡》（*Ruins of Desert Cathay*），由他親自對藏經洞的實景，作了一連串詳實又完整的描述。

1913-1916 年，斯坦因做了第三次大探險。這次，他採取不同於前兩次的路線，橫越帕米爾高原，再取道越過大戈壁沙漠的南側，直接向前東進，達於肅州、黑水城等地。他在這次探險中所獲得的資料，最重要的就是伯孜克里克的壁畫。這些資料現在全歸藏於新德里國立博物館，而大英博物館連一幅也沒有收藏到。這些遺品，是今天使我們唯一能憶起、像直接面對斯坦因當年在對此壁畫所探取的決斷。因為伯孜克里克美麗峽谷所留下的石窟壁畫，在 1902 年已為德國的考古學，且又是美術史學家的格林威德，作為極詳盡的考古發掘與調查。當 1907 年斯坦因第二次探險初到此地時，已發現石窟壁上保存良好的多數壁畫，已早被運到柏林去了。因此，斯坦因只作短的停留，未帶走一幅遺品。但是 1914 年再次造訪此地時，發現改信回教的當地住民，大力熱中於偶像破壞的工作，而且還目擊到住民徹底破壞石窟上的壁畫。關於此時的見聞，斯坦因在其報告書中這樣地記著：「當面對眼前不斷破壞損傷的悲慘狀況，已不是這個地域上的保護問題了。這些遺品壁畫，只要在各方情況允許下，以及不損傷到美術與圖像上的韻味；我所能想的，就是竭盡所能而又安全地運出，這才是使這些壁畫留於後世的『唯一手段』。」

今天，前訪伯孜克里克的人們，對於西歐諸國探險隊的作為或是偶像破壞的作為，造成石窟壁面完全毀形的創傷，是沒有人不痛心疾首的。但是，當西歐諸國的考古學調查隊告一段落時，接著，美國哈佛大學佛格美術館（William Hayes Fogg Art museum）為了收集其遺寶，於 1924 年，由華爾納（Langdon Warner, 1881-1955）又率人前往中國的敦煌與萬佛峽，作同樣考古性質的收集。這一批調查隊，事實上在這時，也由此再度攫得供養菩

薩跪像與壁畫等小斷片。

1930 年，斯坦因博士又計畫到大戈壁沙漠周邊做第四次探險。雖止於周邊，然而仍是有 3200 公里的路程，但是卻因為中國不同意而無法實現。對於這次的計畫，中國的國家古蹟保存委員們，特別對斯坦因博士的訪問及前些年的掠奪，發表了正式的抗議聲明。在這有十九位著名學者署名的抗議書上，特別針對放置於倫敦的敦煌遺品，要去除它的所有權，而且使學者們完全擁有解明這些遺品的研究機會，因而有此嚴厲聲明。

其後，這個抗議稍有進展。1957 年萊歐納爾・翟林奈（Lionel Giles, 1875-1958）的畢生大著作《總目錄》終於完成。同時，1950 年斯坦因蒐集的全部經卷，也因東瀛東洋文庫提議，完成了全部微片的製作。其餘剩下來的不全殘片之類，經過修復後也作成微片。這個作業從當時起，一直到今天仍繼續進行著。然而利用所整理出來的資料首先開「敦煌研究」這一新領域研究的是東瀛的漢學學者。1937 年，東京大學松本榮一博士的劃時代巨著《燉煌畫研究》，就是根據伯希和的石窟照相圖版，以及各種有關的敦煌出版物，而奠立的研究成果。

1943 年 10 月 26 日，掀起 20 世紀東、西方學者捲入中國絲路文化研究熱潮的大探險家斯坦因與世長辭，安眠於他所熱愛的喀布爾近郊的中亞沙漠上。噩耗傳出，世人莫不一掬敬仰愛慕之淚。1943 年歐爾達姆（C.E.A.W.Oldham），在致斯坦因爵士的追悼文中，最能道及斯坦因一生的貢獻。

「斯坦因博士最顯著的成果，就是打開有關中亞歷史、文化、經濟政治，至今無人所能預期到的新視野；而且更掀開此地域，在海路盛行好幾世紀之前起，與西方諸國和東亞相連結的走廊；同時，透過這條走廊，使世人明確地知道印度、伊朗、希臘化文化與中國文化長時期交流的歷史真相。特別是，斯坦因博士毫無差錯地實證出，從粟特國至甘肅的這條流沙之道；徹底地解答出，佛教東漸是從西北印度傳至中國的，以及絕對影響分布於這裡整個地域的人們生活方式與實態。」

▌相片紀錄

　　本卷（序文）及與內容（解說）有密切關係的圖照，都是選自斯坦因三次探險的相片記錄而編成的。遺憾的是，當時攝製的原版並未留下，因此只得從斯坦因自身的發掘報告等出版資料中擷取。

　　每一圖的出處皆附在圖說末尾，以下列出各出版資料的「略記名稱」：

Andrews – F.H Andrews; *Wall paintings from Ancient Shrins in Central Asia*

Mirsky – Jesnnette Misky; *Sir Aurel stein*

Ruins – Aurel Stein; *Ruins of Desert Cathay*

Serindia – Aurel Stein; *Serindia*

Khotan – Aurel Stein; *Ancient Khotan*

Innermost – Aurel Stein; *Innermost Asia*

安德魯斯夫婦（左二人）與斯坦因博士（右）

摯友安德魯斯，是斯坦因博士報告書出版的最大助力者。斯坦因前面蹲著他的愛犬達修三世。1916年攝於喀什米爾首都斯里納格爾。（Mirsky pl,10）

奧雷爾·斯坦因爵士

1862年11月26日出生於匈牙利的布達佩斯。曾就學於羅勒斯汀、維也納、萊比錫、杜賓根大學；後負笈英國，就讀於牛津大學、倫敦大學。1900-1901年、1906-1908年、1913-1916年，前後共三次探險西域各地。1943年10月26日於巴基斯坦、阿富汗的旅行途中，長眠於喀布爾近郊的沙漠。（Ruins Vol.II 卷頭）

斯坦因的探險隊隊員

1908年3月，一行人攝於和闐東方的烏爾瑪查。左起：伊布萊比斯·貝克、中國人秘書蔣四爺，斯坦因與達修二世、炊事員傑斯梵特·星氏、測量技師萊·巴哈敦·拉爾·星氏、工兵與照片顯像員奈克·拉姆·星氏。（Serindia Vol.III Fig.320）

■ 一行人橫越塔克拉馬干沙漠

1908 年 2 月，調查古代龜茲文化圈之後，一行人正穿越塔里木河之南的高砂丘，向和闐方向前進。駱駝的左後方是奈克氏。（Ruins vol.II Fig.281）

■ 一行人到達崑崙山脈北麓

1908 年 8 月，斯坦因帶領一行人從肯利亞南方的普藍部落，沿著溪谷險路走出漢蘭噶。（Ruins Vol.II Fig.315）

■ 正作測量工作的萊‧巴哈敦‧拉爾‧星氏

這是 1907 年 8 月嘉峪關南方，即南山山脈半山腰的疏勒河左岸上工作之情景。（Ruins Vol.II Fig.315）

▌拉瓦克遺跡上的塔婆四壁塑像

1901 年 4 月在和闐近郊，發掘古代的拘彌國（即 Rawak）塔婆大塔。在塔的四壁發現許多塑像，原是塗有漆彩的。
（Khotan Vol.II pl.xiiib）

▌拘彌國遺跡上的廢寺壁畫和塑像

1900 年，由當地的老人帶領前往古代拘彌國（現在稱丹丹烏里克，Dandan uilik）遺跡。斯坦因一行人在此發掘十多戶的建築物，並收集壁畫、雕塑、板繪等。（Andrews pl. xxxii）

■ **卡拉力克遺跡的寺院壁畫**
1906 年 9 月 在 卡 拉 力 克
（Kargha lik，子合國）的廢
寺甬道走廊，發現了使用層
桁架構造的千佛像壁畫。
（Serindia Vol.I Fig.41）

■ **尼雅遺跡的住居遺址**
1906 年 10 月，斯坦因再度前訪尼雅（niya，精絕國）遺跡，在此發掘不少居住場址。這幅照片就是發掘第 26 號住居
場址之後，設法組合房舍柱、樑等架構的記錄實景。斯坦因到此地的首次探險是 1901 年 2 月。（Serindia Vol.I Fig.63）

▍米蘭遺跡第 3 號、5 號遺址

1907 年 1 月，斯坦因發現了數十座佛寺遺址，特別是第 3、5 號遺址有美麗的壁畫，令人矚目。不過幾乎都是相同的形式，即曬乾泥磚建造的塔婆。第 5 號遺址的基壇四方 12 公尺，中央有直徑 3 公尺的圓塔，並有寬 2.13 公尺的繞塔迴廊腰壁。其中仍留有受到希臘化影響的特色壁畫。（Serindia Vol.I Figs.127.129）

▍在羅布淖爾北岸的營地

橫越羅布淖爾（Lop Nor）順著踏尋到北岸後，在最先發現的綠地搭起野外營地。（Serinsia VOL.II Fig.180）

樓蘭的發掘調查

1906 年 12 月，從古代鄯善王國遺址，經羅布淖爾到達樓蘭。在這裡發掘了好幾處遺址，並收集到寫在木、紙、絹布上的貴重古文書。〔Ruins Vol.I Fig.118〕

樓蘭遺址的古代住居與塔婆遺址

1906 年 12 月歷經險惡之途，終於排除萬難到達樓蘭。這是自 1900 年 3 月瑞典赫氏發現此地以來的再一次考古調查。圖為發掘及調查古代住居與墓地的情景。〔Serindia Vol.I Fig.95〕

▌漢代邊城壁址的烽火台

1907 年 3 月，在敦煌西北，即漢代邊城壁址發現了烽火台遺址。等進到敦煌之後，一行人再整隊出發，對此烽火台與城壁作了詳細調查。（Serindia Vol.II Fig.180）

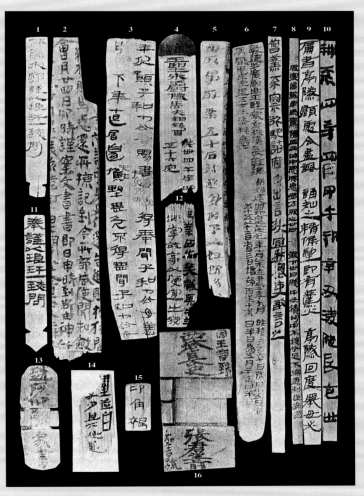

▌古代中國木簡

木簡出土地的次序為：1、11 號是尼雅精絕國遺址出土；2、13、16 號是羅布淖爾出土；3-10、12、14、15 號是敦煌近郊城壁遺址出土。（Ruins Fig.119）

▌敦煌莫高窟（即千佛洞）

1907 年 5 月斯坦因參觀敦煌莫高窟。從照片中央左起是第 247 窟、第 250 窟、第 251 窟。（Ruins Vol.II Fig.198）

■ 敦煌第16窟和藏經
　洞入口

圖右所見到的門扉就是
藏經洞的入口。在王道
士發現以前，此洞是以
壁土塗起且在上面描有
壁畫。（Serindia Vol.II Fig.
200）

■ 藏經洞取出一綑綑的經典與古文書

洞內的大半收藏物為漢文所書寫的經典寫本，是用麻布綑綁的。（Ruins Vol.
II Fig.194）

■ 道士（道教僧）王圓籙

第17窟藏經洞發現者。斯坦因就是從他入手獲得藏經洞內的經典、繪畫等資
料。（Ruins Vol.II Fig.187）

■ 伯孜克里克石窟寺院

1915 年 1 月斯坦因再訪伯孜克里克。前一次造訪是在 1907 年，這次則在德國格林威德博士調查之後。再訪時，斯坦因發現當地的回教徒已嚴重破壞石窟壁畫，因此決心攜出壁畫運往安全之地。（Innermost Vol.II Fig.314）

■ 黑水城城壁西北隅的窣堵婆

1914 年 5 月，調查範圍在戈壁沙漠裡的黑水城（Karakhoto）遺跡。（Innermost Vol.I Fig 247）

■ 錫科沁千佛洞遺蹟

1907 年 12 月在哈喇沙爾（Karashahr，焉耆國）之南，錫科沁（Shikchin，即 Shorchurk，修爾丘克）的千佛洞（Ming-öi，即明屋）遺跡，發掘出許多佛教寺院。此遺跡曾遭祝融，不過從廢寺內部和迴廊的瓦礫中卻出土了極好的塑像及壁畫。（Serindia Vol. III Fig.287, Ruins Vol.II Fig.269）

大英博物館藏的斯坦因蒐集品

斯坦因從 1906-1907 年，探險所蒐集的九十大箱蒐集品，經由當時湯姆森‧庫克商會之手，於 1909 年 1 月 13 日上午 11 時，終於運抵英國。到了 5 月，便在大英博物館的自然史博物館地下樓，完成約三分之一的開箱作業。8 月，在布魯姆茲伯里的皇家圖書館東側的地下室，已備好為斯坦因博士所需使用的幾個研究室。這兒的採光雖不足，令人抱怨，然而斯坦因與其他的協同者，就在這裡開始準備進行講解、裝裱、攝影、製版等工作。協同者有摯友安德魯斯、羅莉瑪小姐，以及從印度派來名叫格德查爾德的修理技術專家。

為了正確處理與保存這些蒐集品，負責東方版本以及「寫本部門」的席德尼‧柯爾畢，邀請了一位修理專家。他道出：「這些蒐集品中，最重要而最耐人尋味的，就是所謂的絹本繪畫遺品。這些，都需要特殊專門性技術的處理。這些傑作實在太脆弱、纖細了，其中的大部分，當要將其平平展開那絹上皺紋之時，是需要極大耐心與技巧的；再者，當其平展之後，要馬上用玻璃板夾起；有時還須隨著遺品的各種不同狀況，備上特別用的厚紙，加以其必要性的固定。」

1911 年初，在英國南部的克麗斯大室舉辦的英國節慶典禮上，展示了一部分的蒐集品。好幾幅繪畫作品，都備有彩色圖版與單色圖版解說的目錄。不過非常遺憾的是由於會場過度潮溼，易使展品受到損害，這實在是一處完全不適於陳列的場所。為了保護作品不受到進一步的傷害，大英博物館擔任修理與修復作業的史達里‧李特爾生，只好開始極費心思地進行臨時裝裱作業。當工作完成時，足足花掉兩個月時間。

當時，大英博物館尚未誕生東方部門。為了配合適宜斯坦因博士蒐集品的管理與保存，在 1913 年終於任命羅雷斯‧畢洋為部長，創設了東方版本與寫本部門的分室。

但在稍前之際，在處理東方畫上，由於已獲得具備非常精湛經驗的人士協助，早

已給李特爾生帶來極其幸運的開始了。1910年的年末，館方決定將傳為顧愷之畫的《女史箴圖卷》，採用東瀛木版畫的技法加以複製。因此從東瀛請來由大橋氏率領的一組雕版人員，到倫敦來工作。當時，不僅繪畫，連絲綢的裱紙部分也複製，其價格是每作一鋪付予三百英磅，共作一百鋪。這時在博物館工作的李特爾生，因能說流利的日語，又得到東瀛人員的信賴，所以他們教給了李特爾生這個技術的祕密與應用之法，這是當時，西歐人士從未有一人會的修復技術。這個機緣想必是李特爾生往後精於此道的因由。

然而，李特爾生雖學會了這麼珍貴且是西歐人士不會的技術，卻在1916年的福蘭達斯戰役中戰死疆場。好在博物館當時在裝裱複製這一百卷時，將東瀛作業員中一名叫漆原的技師雇用下來，因此現實上的各種作業問題仍能迎刃而解。漆原完成工作後，仍留於博物館內；在1913-1915年的三年期間，每個月還繼續支領月薪。1918年他曾一度離開大英博物館，但翌年擔任漆原工作的繼任者（名叫艾特根索）因醉心於這種技術，漆原又再度回到館內，教他一段不算長的期間。斯坦因博士蒐集的繪畫，大約有四十鋪是在這年完成裝裱的，而且此後持續數年，也完成了相當大量的裝裱工作。其中，有二、三鋪的大畫，背面裱裡，因年代久遠都已剝落，所以被改成掛軸方式處理。這些裝裱的大部分作品，是漆原與接受他指導的艾特根索共同完成的。

大英博物館，因其收藏的東方繪畫必須處理，因而帶來了東方人直接參與該館作品修復、修補、裝裱等工作。在這段期間，就是對該館其後的他類保管，也帶來了許多值得津津樂道的一頁。因為當時，館內有一位名叫保羅‧魏爾斯的人員，因整整十一年直接參與這項工作，得到東方裱畫師的調教，習得一手上等的實際功夫。後來魏爾斯成為保存部門的一員，開始著手設計出為了保護東方繪畫與工藝品的「工作室」；使得遠從敦煌而來的這批繪畫，在安全與保護上獲得「保證性」的適當處理與成果。1971年以後，敦煌的繪畫轉藏於緊鄰東方部第二展覽室、設有空調設備的特

別倉庫裡；在那兒，尤其大尺度的繪畫作品都可置入於滑動式的嵌畫板上，使學者們可以毫無顧慮地作各種多面性的研究。

在此，我們再回到斯坦因的蒐集品運到倫敦的那個時間點吧，正如上述的，那時當然是專注於前述的裝裱與修復工作，同時也開始致力於這些蒐集品的學術性鑑定工作；但是非常遺憾的，這個工作始終遲遲未進行。1910 年大英博物館特別委託法國漢學家，正是對敦煌熟悉的伯希和博士，來做有關古文書類及目錄製作的準備工作；但是伯希和博士拖了三年，還抽不出時間來接手這個委託工作。就在這時，法國漢學家沙畹教授已開始快速地著手漢文資料的研究；比利時美術史學者勞弗‧佩特爾吉教授，也開始著手於繪畫史方面的研究。不過很可惜，佩特爾吉的研究直至 1917 年他去世時尚未完成，僅僅被整理刊登於《西域考古圖記》（Serindia）上。

這位著名的佩特爾吉教授，就是將斯坦因蒐集的全部資料，配分於大英博物館與印度總督府時，使這些資料能有系統地分於兩地的實際執行者。造成這些資料分放兩地之因，就是前述的，斯坦因博士在作第二次大探險時，英國政府與印度總督府各分攤了五分之二與五分之三的費用，故在分配時，雙方訂定「斟酌量與質上的配選」。佩特爾吉教授因此為了分配上的公正與正當，訂出了幾個妥適的原則。

例如：在壁畫斷片上，看起來是受古代波斯、粟特、大夏等文化影響的，但其骨子裡，即其圖像學上的本質性，卻完全是屬於起源於印度佛教美術一環的，即作成有連續性的相關處理。特別是在米蘭所獲得的一系列壁畫，全部放在一起保管，因此，米蘭的貴重壁畫都配分到印度總督府。而書寫有漢字的繪畫類，大多全配分到大英博物館。其中僅有一幅例外，那就是一件保存狀況非常完好的中國畫，因畫上都表現著著名的古代印度圖像，佩特爾吉教授從考古學與美術史學的角度來設想，認為具有獨特的重要性，於是將它割愛配分到印度總督府。

所有的蒐集品在配分之前，大英博物館已委由索帕教授作成整個主題性的調查研

究。其中只有極少部分，是很難分辯出畫面整體組合原形的；因此，造成在實際的配分作業中，將同一作品的大部分移往印度，而剩餘的殘片類就留在英國。

關於蒐集品的分配，事實上不是馬上完成的。其原因有二：一是當時的印度方面沒有收納這些資料的博物館，二是由於二次世界大戰開始。1919 年，配分的作業雖告完成，但是應該運往印度的不少作品，仍被滯留在倫敦好幾年。正因有了這數年滯留的機緣，其中好幾件作品能夠被收錄在 1921 年所出版的 *Thousand Buddhas* 內。還有，於 1915 年成為大英博物館東方版畫寫本部門分室一員的亞瑟·魏勒，在 1924 年開始準備作成斯坦因博士所蒐集的繪畫詳細目錄時，還把配分於印度方面的資料再運回大英博物館來研究，以致得以充分完成這個研究作業。後來魏勒的敦煌目錄 *Catalogue of the paintings Recovered from Tun-huang by SirAurel Stein* 於 1931 年出版。當然，上述的這些書籍與正式報告書都是分別出版的。而斯坦因在第二次探險所作的正式報告書，是以 *Serindia* 共五卷的書名，於 1921 年出版；而第三次探險的正式報告書，是以 *Innermost Asia* 共四卷的書名，於 1928 年出版公諸於世。

▌大英博物館秘藏的中國敦煌繪畫

1907 年 5 月 21 日，有一位原籍匈牙利的英國學者斯坦因博士，橫越西域探險，獲取大批中國敦煌封藏千年而不為世人所知的「藏經洞」大寶藏，當時立即引起世界各國學者對敦煌藝術文物的矚目。斯坦因於 1943 年以八十二高齡從事最後一次探險，不幸客死阿富汗的喀布爾。他一生共歷經四十三年探險歲月，終生致力於東西絲路藝術文化的田野調查，他所蒐集的藝術文物──包括大批的中國敦煌繪畫珍品，大部分深鎖在大英博物館，從未公開展出。

圖版編號及收藏編號

1. 同一作品有複數圖版時，以「-」序號而下，例如：7-1, 7-2, 7-3。

2. 收藏編號，在圖版名稱的最下一行英文上。

3. 收藏編號，有 Stein painting 的編號，是對照魏勒的《敦煌畫目錄》
（*Catalogue of Paintings Recovered from Tun-hung by Sir Aurel Stein*）編號。
再者，有 ch 的編號，是對照斯坦因的正式報告書《西域考古圖記》
（*Serindia*）的編號。Ch 是 Ch'ien Fo-tung（千佛洞）的略記。

4. 收藏編號後有「＊」者，表示有「重覆號碼」。例如，本卷圖 15 與
圖 18，Stein painting 的編號都為 35，重覆的圖 15，即編號為「Stein
painting 35＊」。

圖版編輯及圖版解說
List of Color Plates

「西域美術」共分三卷，第一、二卷為繪畫作品，第三卷為染織品及其他等項目。第一、二卷的圖版配置，是以編年的想法和依材質、體裁的分類為主，再將二者以折衷的方式編列。因此，韋陀未採取居美美術館所採用的，將收藏的伯希和圖錄取以純粹的圖像分類方法。事實上，要推定時代且又要對大量的繪畫加以分類，那是極其艱辛的作業。再者，之後或會對許多作品的年代有加以訂正的必要，不過這確是有意義的工作。因此這次我在努力配置各卷的作業時，已準備好進行圖版的解說，對繪畫收集品的年代，可以發現比過往從有紀年銘記作品開啟的想像範圍更為久遠，以及有幾鋪作品，特別是第二卷收錄的麻布繪畫等，比起過往所思考的更為早期，才是適切的。

第一卷，收錄數鋪的經典類。經典類從敦煌藏經洞整體的遺品來看，是極其重要的，可發現比起許多的繪畫年代更久遠。接著是 8 世紀以後的繪畫，其中，有 9 世紀末紀年的繪畫作品。其後，就是敦煌佛教美術的特有幡畫。幡畫的部分，揭示兩鋪標準的幢幡，接著是佛傳圖例、菩薩像例，最後是金剛力士像例，依類別配置。

第二卷，介紹 10 世紀初之後的大畫面絹畫，其中亦配列有數鋪列為 9 世紀末亦無妨的作品。絹畫之後，是大型的麻布繪畫和幢幡。接著亦有描繪在紙上的各種繪畫和幢幡，最後收錄數鋪木板畫。

以上與繪畫有關的，不問彩繪、版畫，都儘可能的收錄，不過大半是彩色圖版和黑白圖版，剩下的僅以黑白圖版來介紹。

第三卷是攜自敦煌的染織品，以及在各地古代遺跡收集的雕塑、工藝品等，從中選出優異之作並加以收錄。特別是收錄的數量，如從整體數量來看屬極少數，不過在藝術及歷史價值上，卻富於深趣。

5 世紀初期〈道行般若經（局部）〉

　　依據斯坦因的紀錄，可知他在紀念敦煌高僧洪䇓營造的洞窟，即今第 17 窟（藏經洞）發現到繪畫類時，是很不整齊的一綑綑地綁著的，有些堆放在由這些綑住經典類堆疊起來的「堅固堡壘」上。不過，下面也堆放了非常多。經典類都綑綁的很牢固，幾乎每綑都以粗麻布包覆著，與堆放在底下被壓壞的繪畫類相比，經典類受到的損傷相對較少。再就年代上來看，經典類不僅時代更早，而且數量亦多。

　　經典類的物件，與其說是美術品還不如說是文獻更引人入勝，因此當初便收藏在大英博物館的東方古文書・版本室，現在已移至大英圖書館保管。暫且不論這樣的收藏經緯，為了正當評價攜自敦煌第 17 窟的遺品性質，再就經典類本身的重要性來說，今天也要選一些來介紹吧！事實上被選定的適合圖版，除了在「書」的式樣上可窺知其變化外，還必須對被確認的紙質材料與卷子的形狀加以考慮。因為這些經典類，不單是在敦煌，即便在整個中土都有翻譯和寫經，甚而在傳播上又是最廣被知曉的資料，故而必須要再加思考。事實上，被收藏在這些收集品的經典類中，大多製作最精美的經卷，並非產於敦煌，而是在首都書寫的，而且其紙質材料皆攜自遙遠的中土，均是優質的精品。

　　此鋪寫經本〈道行般若經〉（圖 1）雖無紀年，但卻是敦煌發現文書中，屬於最早期的極品。清澈的淡黃色紙質，雖拉上罫線（即格子線）書寫經文，不過字數的配置卻不一；大部分在最下一行的文字都擁擠得很。各行並未一貫書以十七字，因此有

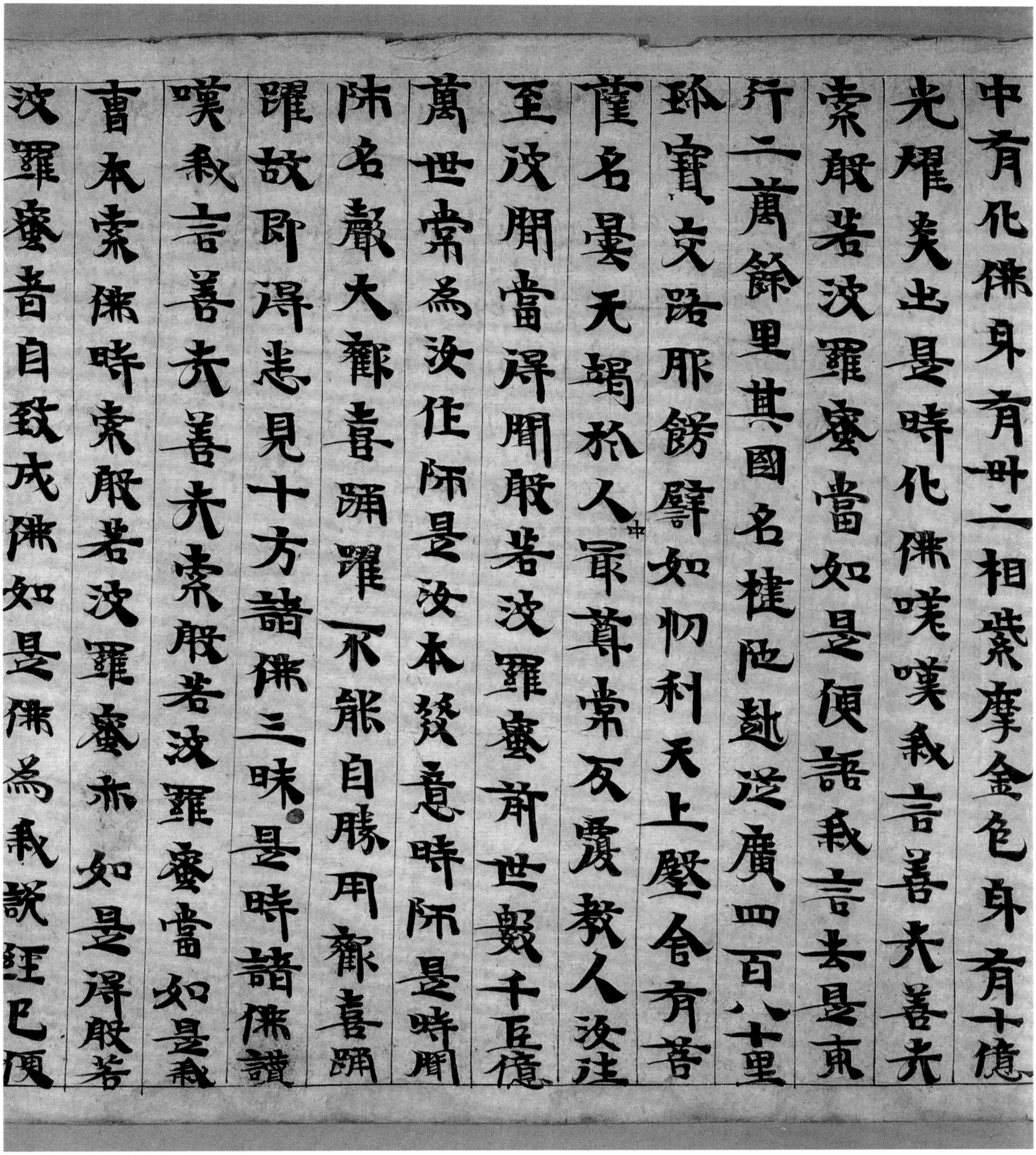

圖 1　**道行般若經（局部）**　5 世紀初期　紙本墨書　縱 24.7×42.5cm　British Library, Stein 4367

的行數是十六或十九字。書體的特徵，直寫的以粗筆直劃下，橫筆雖細，然右端卻粗

大。再者，從一筆移至下一筆留有細細軌跡線；筆的動勢，基本上可知是以圓為形制。

因而，斜的筆勢尖端會彎曲，橫筆的中央處則稍稍舉起。

2

蕭梁／天監五年（506）
〈大般涅槃經　卷第十一（局部）〉

　　斯坦因收集品的經典類中，天監五年（506）〈大般涅槃經　卷第十一〉這鋪（圖2-1）堪稱是最早的，不過卻具備有唐代宮廷寫經所大量製作的經卷上所見到的主要特色。經文是書寫在有黃色防蟲劑（在日本大多用 Amccr corcho，即含有樫木樹皮的黃藥，以防紙張蟲害）處理的極薄紙張上。字的大小規整有序，各行皆是十七字。

　　在此鋪卷末（圖2-2）的左下，井然有序地記述著經典名稱，而後記中記載了紀年、供養人名字，甚至載有寫經的二位比丘名字等。依此可知，此鋪經卷是由一位名叫譙良顒的人為供養亡父而奉獻的。卷尾裝有捲起來時用的木軸，因此切成像膠卷底片夾尾端的舌尖狀，以便收起來時可插入固定。此舌尖狀卷尾部分沒有塗黃色的防蟲劑，故可清楚地看到原本淡黃的紙色。

　　運筆的動勢若與前一幅相比，已見不到明顯的圓味，長的橫筆畫業已消失，文字整齊地書寫在罫線間。斜筆和橫筆的右端皆粗大一點，帶有隸書的筆意。事實上，在另一鋪有北周保定元年（561）紀年，又同樣是《大般涅槃經》卷第十八的書寫經卷（圖2-3、2-4）上，亦可見到已是近於初唐時期井然有序的楷書了。就中，在橫筆的右端仍留有粗大的傾向，不過也並非一橫筆就是一筆粗大直線般，而是在起筆的地方帶有強調性，留下有押下筆尖鋒芒的跡痕。事實上，到了唐代井然有序的書體時，這個筆尖的鋒芒就完全看不出來了。

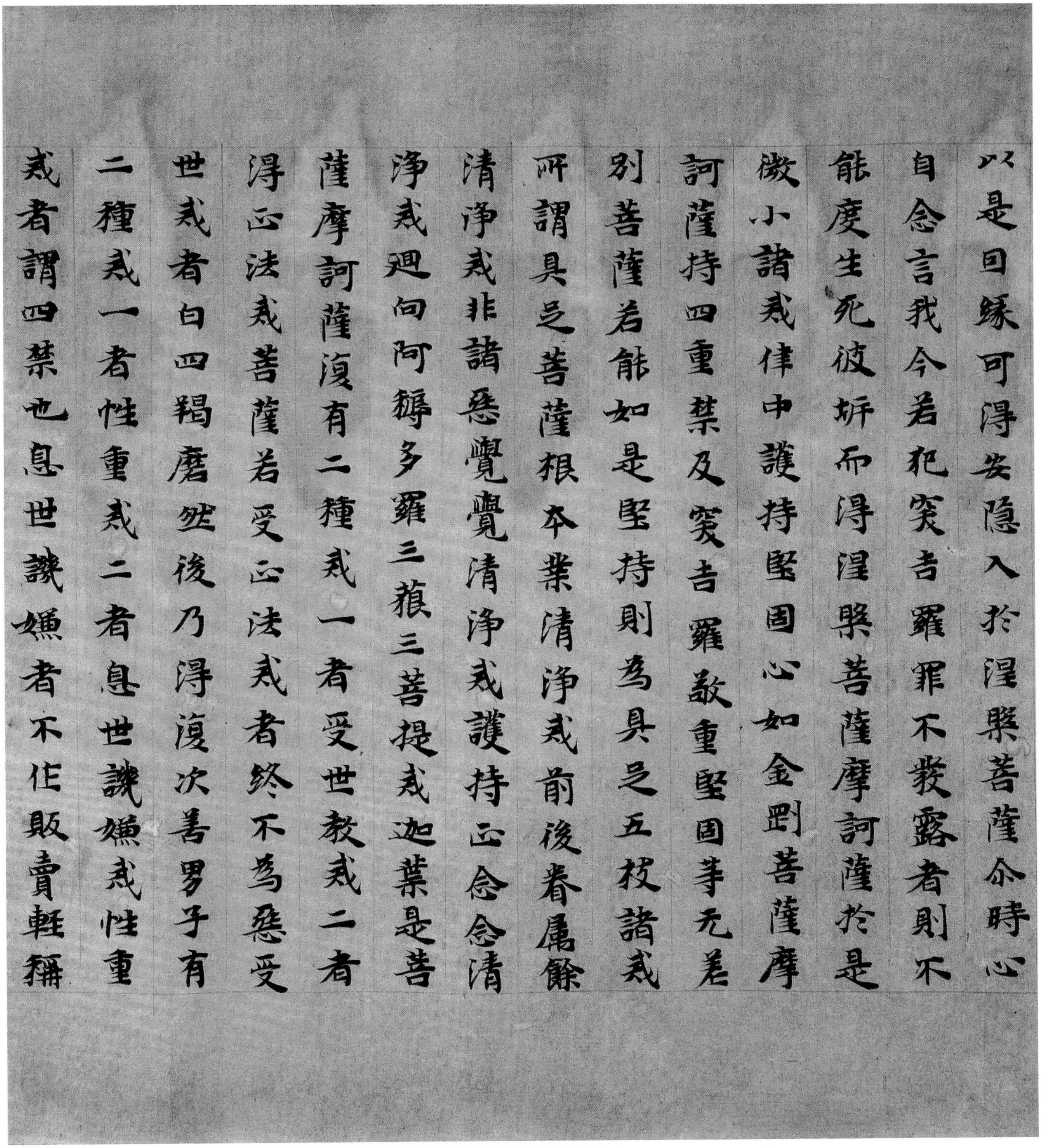

以是因緣可得安隱入於涅槃菩薩尒時心
自念言我今若犯突吉羅罪不發露者則不
能度生死彼岸而得涅槃菩薩摩訶薩於是
訶薩持四重禁及突吉羅敬重堅固羔无差
微小諸戒律中護持堅固心如金剛菩薩摩
別菩薩若能如是堅持則為具足五枝諸戒
所謂具足菩薩根本業清淨戒前後眷屬餘
清淨戒非諸惡覺覺清淨戒護持正念念清
淨戒廻向阿耨多羅三藐三菩提戒迦葉是菩
薩摩訶薩復有二種戒一者受世教戒二者
得正法戒菩薩若受正法戒者終不為惡受
世戒者白四羯磨然後乃得復次善男子有
二種戒一者性重戒二者息世譏嫌戒性重
戒者謂四禁也息世譏嫌者不作販賣輕稱

圖 2-1 　大般涅槃經　卷第十一（局部）　　蕭梁天監五年〔506〕　　紙本墨書　26.6×49cm　British Library, Stein 81

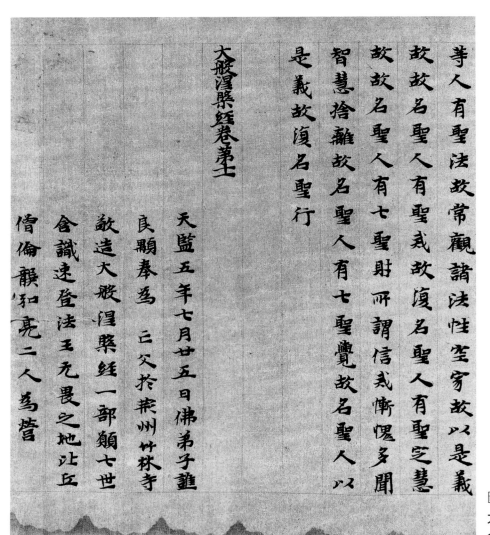

是義故復名聖行

智慧捨離故名聖人有七聖覺故名聖人以

故故名聖人有七聖財所謂信戒慚愧多聞

故故名聖人有聖戒故復名聖定慧

等人有聖法故常觀諸法性空寂故以是義

大般涅槃經卷第十一

天監五年七月廿五日佛弟子龔

良顯奉為 亡父於荆州竹林寺

敬造大般涅槃經一部願七世

含識速登法王无畏之地比丘

僧倫韻知亮二人為誓

圖 2-2
大般涅槃經
卷第十一（卷末後記）

　　經文的本身，從其他的各種資料亦可知悉，不過從這類的寫經本倒是可獲得佛教高僧的動態、翻譯和寫經的中心地，甚至可獲得紙張的生產地等某些訊息，這是非常令人深趣的。

　　此鋪寫經本的紙張薄而強韌，為上等紙質，這一定是在中土南方製作的。當中土帶進來的紙張斷絕供給後，敦煌地區也只有靠自己製造紙了。故紙張厚且粗糙，尺幅也較小，完全不適合長卷子的書寫。故此鋪寫經本並非敦煌製作，而是從中土其他地方運來的，事實從卷末後記清楚得知，這鋪寫本是在湖北省荆州竹林寺書寫的。因此這鋪寫經本，不僅歷經漫長歲月被收藏在敦煌的秘境裡，而且還流傳先前可能是由一位行腳僧背負，從最初的地點一直踏尋著，走到敦煌的一趟長途旅程呀！

圖 2-3
大般涅槃經
卷第十八
北周保定元年（561）
紙本墨書
27.3×51.4cm
British Library, Stein 2082

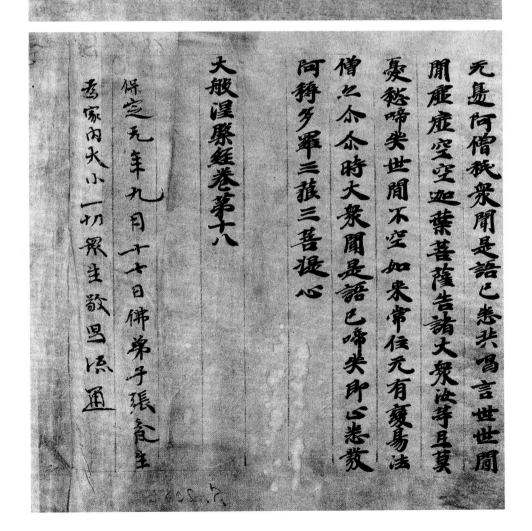

圖 2-4
大般涅槃經
卷第十八（卷末後記）

3

北魏 / 永平四年（511）
〈成實論　卷第十四（局部）〉

　　此鋪北魏永平四年（511）〈成實論　卷第十四〉（圖3）的經卷，上下包含2公分左右突出的木軸，是一完整的原樣。木軸兩端塗以暗褐色漆，卷尾為斜斜深切下的舌尖狀，貼附著木軸。紙張較前鋪寫經本稍小且紋路更粗，紙上雖塗有防蟲劑，不過色澤已有些斑駁。卷末同於前鋪，在後記上載有紀年和寫經場所，可知這是在敦煌書寫的。

　　正如藤枝晃[1]教授所發表的，若以大約同時代的二鋪寫經本書體做比較，就如前鋪所見，讓人清楚看透已達近於隋唐式樣的南朝書體，與此鋪寫經本所見到的、強烈留住漢簡書體陰影的北朝書體二者之差異。此外，此鋪寫經本的文字正如〈道行般若經〉（圖1）的文字，可見到細的橫筆與粗大直筆的清楚對比，不過在筆勢上是帶有圓味的，三道或更多的筆畫，被書寫成看似有如同心圓的文字不少。但各行的字數是一貫而下的十七個字。

註1：藤枝晃，〈北朝写經の字すガた〉（《墨美》119號，3頁，圖版8〈S.81〉，圖版9〈S.1427〉），〈ペリオ蒐集中の北魏敦煌写本—《成實論》卷第八殘卷解題〉（《墨美》156號，8-10頁），《Zinbun》10號，頁26のリスト，參照。

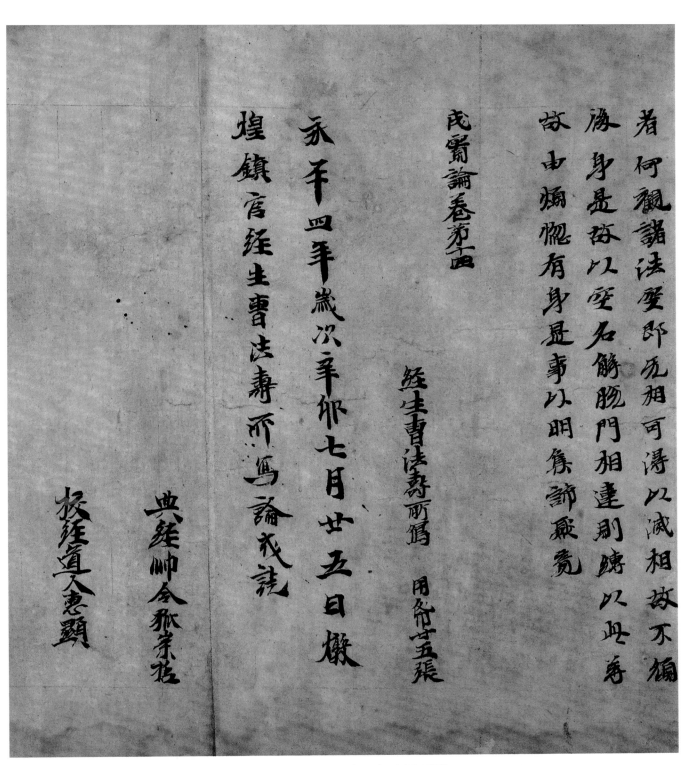

圖3　成實論　卷第十四（局部）　　北魏永平四年（511）紙本墨書　25.4×38.3cm　British Library, Stein 1427

4

隋代／開皇九年（589）

〈佛說甚深大迴向經（局部）〉

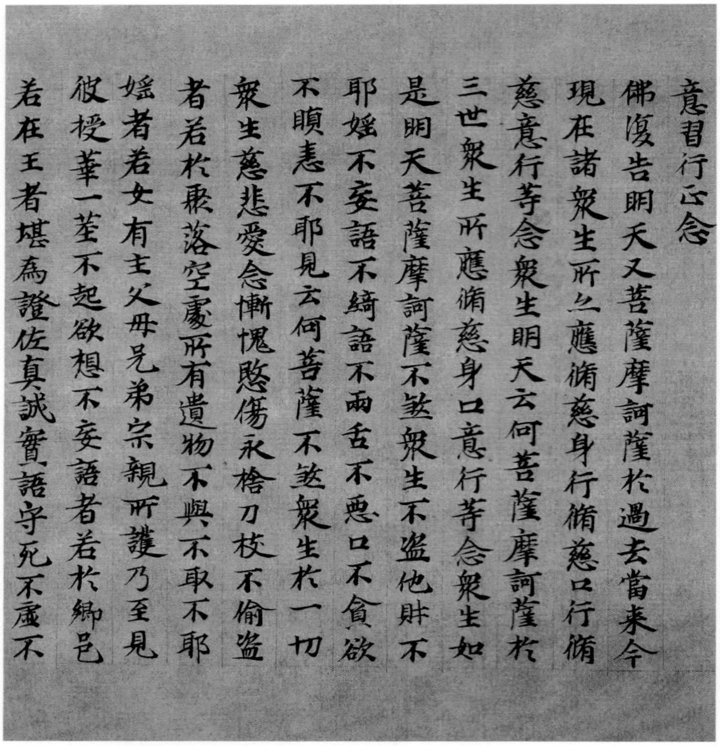

意習行正念
佛復告明天又菩薩摩訶薩於過去當来今
現在諸衆生所亾應脩慈身行脩慈口行脩
慈意行等念衆生明天云何菩薩摩訶薩於
三世衆生所應脩慈身口意行等念衆生如
是明天菩薩摩訶薩不煞衆生不盜他財不
耶婬不妄語不綺語不兩舌不悪口不貪欲
不瞋恚不耶見云何菩薩不煞衆生於一切
衆生慈悲愛念慚愧愍傷永捨刀杖不偷盜
者若於聚落空處所有遺物不與不取不耶
婬者若女有主父母兄弟宗親所護乃至見
彼授華一莖不起欲想不妄語者若於鄉邑
若在王者堪為證佐真誠實語守死不虛不

圖 4-1　**佛說甚深大迴向經（局部）**
隋代開皇九年（589）　紙本墨書　28.3×50.0cm
British Library, Stein 2154

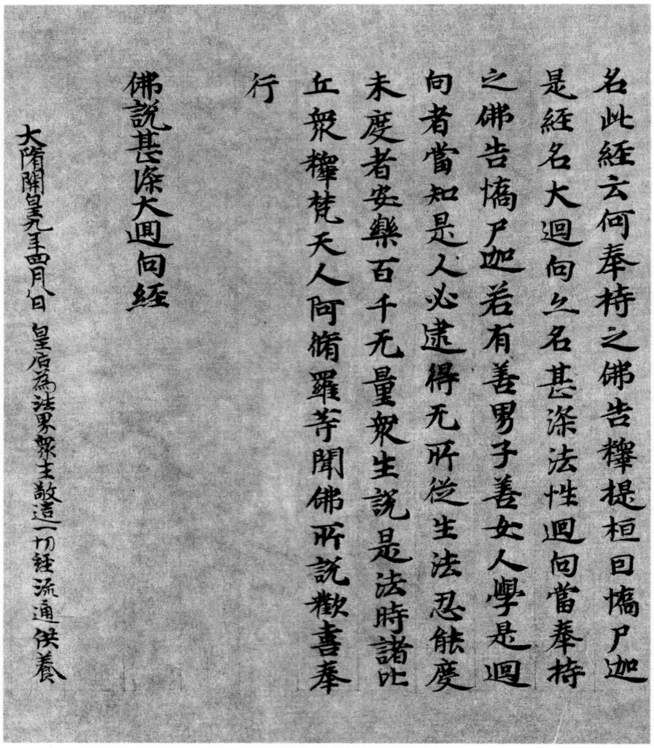

名此經云何奉持之佛告釋提桓因憍尸迦
是經名大迴向亦名甚深法性迴向當奉持
之佛告憍尸迦若有善男子善女人學是迴
向者當知是人必速得无所從生法忍能度
未度者安樂百千无量衆生說是法時諸比
丘衆釋梵天人阿脩羅等聞佛所說歡喜奉
行
佛說甚深大迴向經
大隋開皇九年四月八日　皇后為法界衆生敬造一切經流通供養

圖 4-2　**佛說甚深大迴向經（卷末）**

此鋪精美的〈佛說甚深大迴向經〉（圖 4-1），依卷末後記（圖 4-2）得知，是皇后（隋文帝妃）發願所造。其清澈美麗的筆跡，令人窺知隋代宮廷洗鍊清雅的感覺。特別是平行的橫筆畫，沒有幅度不足之感，而且整體清晰明瞭。說到此鋪整體的結構，尤其在文字和文字之間的間隔，可謂極其整齊有序，最為引人注目。此鋪經卷是以薄紙一張張接連製作的，全長達 50 公分。

5

隋代／大業八年（612）
〈老子變化經（局部）〉

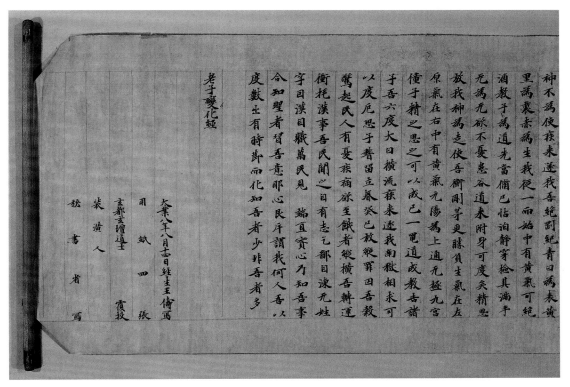

圖 5　老子變化經（局部）　隋代大業八年（612）　紙本墨書　25.6×50cm
British Library, Stein 2295

　　此鋪〈老子變化經〉（圖5），正如圖版所見，當初就有細的木軸，為了裝裱，卷尾採取斜斜裁去上下兩角的處理方法，以便插入貼進去。經文雖言道教，不過從一行排有十七個字起，一直到表題、卷末後記的寫法，完全同於佛教寫經的表現方式。在卷末後記有紀年和寫經生的名字、紙張數量、覆校者（校正者）名字，後面還有將紙張染成黃色的「裝潢人」一欄，不過卻沒有名字。最後一行則是書寫經典的官府單位名稱，即「秘書省」。其染料，可發現是使用具有防蟲效果的黃蘗皮。裝潢人並非只是染紙而已，還與貼黏紙張和裝裱木軸有關。木軸的兩端塗有暗褐色的漆。

6

唐代／咸亨三年（672）
〈妙法蓮華經　卷第三〉

　　斯坦因收集的經典類中，法華寫本達數百鋪。此鋪〈妙法蓮華經　卷第三〉（圖6-1）是其中於670年代在宮廷寫經所的一鋪，而且還是有書寫卷末後記旨趣的一批經卷中的一卷。此鋪紙張極為優異，一摸有清脆之感，毫無斑駁，呈現純粹的黃褐色，即使到了今天紙質狀況仍非常良好。木軸的兩端是象牙軸首，形樣均整完好，綠色著色。軸首長3.8公分，在卷軸上下僅露出1.5公分。

　　此鋪經卷雖無裱紙與緞帶，不過在這數千鋪的收集品中，也沒有任何一鋪是有完好的裱紙。事實上，從卷軸自身卸下非常多的裱紙，而且還另外保存。這些卷軸與其說是本來的紙，還不如說是以更結實的紙或是以同於原來的兩張紙貼合起來，糊貼在原來的第一張紙上。卷頭貼有細竹籤，緞帶（可舉一例，即是將絲綢撕裂，以三條編串而成）就在竹籤的內側開一眼（小孔），巧妙地裝裱上去。緞帶每繞竹籤一次後就再穿過其眼一次，不過這時緞帶自身也開一眼，從相反的一側穿拉出來。緞帶的尾端，在裱紙的內側僅留下約2公分，然後糊貼上。這種繫結的方法非常簡單，也非常牢靠，不必擔心體積或數量太大，裱紙也不會脫落。經過這樣一卷卷綑綁後，便可好幾卷再一起包紮起來。這種包紮的經帙（打包布巾），在斯坦因、伯希和兩位的收集品中，還可見到遺例（圖6-3、6-4，參見伯希和圖錄[1]《敦煌織物》圖版編1、3、39）。

爾時五百万億諸梵天王與宮殿俱各以衣
祴盛諸天華共詣北方推尋是相見大通智
勝如來處于道場菩提樹下坐師子座諸天
龍王乾闥婆緊那羅摩睺羅伽人非人等恭
敬圍繞及見十六王子請佛轉法輪時諸梵
天王頭面禮佛繞百千帀即以天華而散佛
上所散之華如須弥山并以供養佛菩提樹
華供養已各以宮殿奉上彼佛而作是言唯
見哀愍饒益我等所獻宮殿願垂納受時諸
梵天王即於佛前一心同聲以偈頌曰
世尊甚難見破諸煩惱者過百三十劫今乃得一見
諸飢渴眾生以法雨充滿昔所未曾覩我等諸宮殿
如優曇波羅今日乃值遇無量智慧者蒙光故嚴飾
世尊大慈愍唯願垂納受
爾時諸梵天王偈讚佛已各作是言唯世
尊轉於法輪令一切世間諸天魔梵沙門婆
羅門皆獲安隱而得度脫時諸梵天王一心
同聲以偈頌曰
唯願天人尊轉无上法輪擊于大法鼓而吹大法螺
普而大法雨度无量眾生我等咸歸請當演深遠音
爾時大通智勝如來默然許之西南方乃至
下方亦復如是爾時上方五百万億國主諸
大梵王皆悉自覩所止宮殿光明威曜昔所
未有歡喜踴躍生希有心即各相詣共議此
事以何因緣我等宮殿有斯光明而彼眾中
有一大梵天王名曰尸棄為諸梵眾而說偈

圖 6-1　**妙法蓮華經　卷第三**　唐代咸亨三年（672）　紙本墨書　26.0×45.7cm　British Library, Stein 4209

在敦煌的壁畫上，實際亦發現有
正在讀這類經卷的高僧姿態。而在斯
坦因、伯希和的收集品中，也可以看
到好幾鋪負笈的行腳僧繪畫，其揹負
的「笈」上裝滿了好多好多擺得整整
齊齊的經卷（圖6-2）。再者，從敦煌
的藏經洞出現許多遠離中原書寫的經
卷，正可證明在盛行佛教地方可以方
便地運出，還流傳到國內、外各地。

圖 6-2　**行腳僧圖**
唐代（9 世紀）　紙本著色　41.0×29.8cm
Stein painting 168. ch. 00380

圖 6-3　**經帙**　唐代（8世紀）　絲綢、紙製作　78.6×30.6cm　MAS 858（ch. xlviii 001）

　　敦煌發現的經典類紙張，仍可好好地使用，且還保存當初的狀態。對於這種紙張的類別，是有必要加以研究的。當時紙張的製造和流通，可發現除了作為佛教寺院和宮廷寫經所使用外，還需滿足日常生活上大量的需要，甚至亦可從中獲得各種訊息。

註 1：原書名 *Mission paul pelliot. XIII. Tissus de Touen-houang.* Paris, 1970.

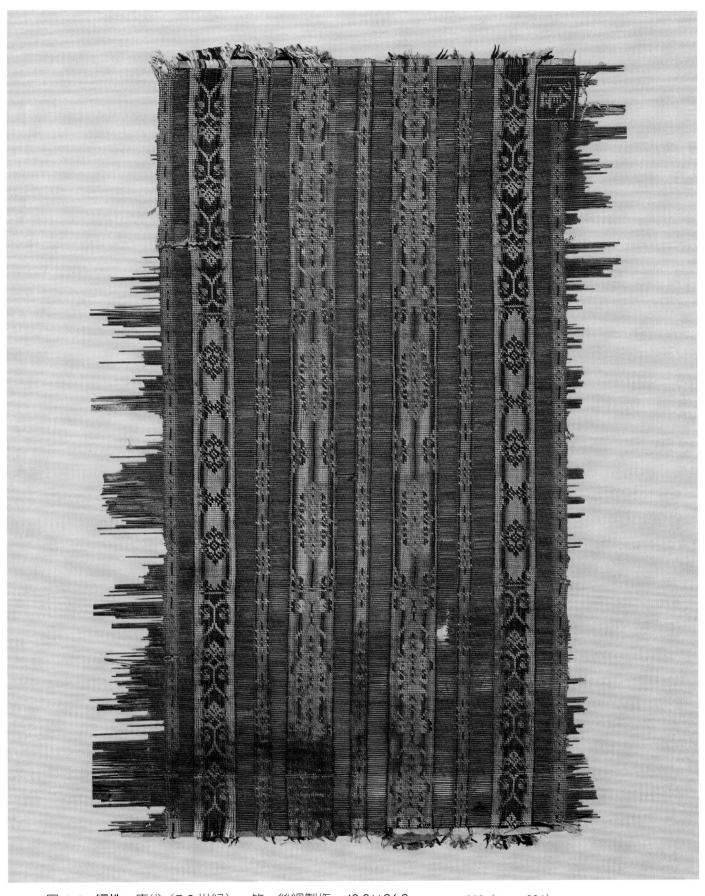

圖 6-4　**經帙**　唐代（7-8世紀）　竹、絲綢製作　43.0×26.8cm　MAS 859（ch. xx 006）

唐代／8世紀初〈樹下說法圖〉

〈樹下說法圖〉（圖7-1）是敦煌第17窟所發現的眾多繪畫作品中，製作年代最早的一幅，保存狀態卻極為良好。此圖不僅與敦煌石窟壁畫所描繪的隋及初唐的淨土圖、說法圖，有著清楚的關聯，而且亦是敦煌出土絹畫中最接近伯希和攜走的那幅〈阿彌陀淨土圖殘片〉[1]（參見伯希和圖錄，《敦煌幢幡與繪畫》篇，圖版23。）再者，此鋪可確信是早期的作品，就在於它的構圖，這也是它足以首先被列舉的重要因素。除外，尚可舉出天蓋和台座的裝飾、各個尊像加以潤飾表現上所見著的色彩使用方法，以及畫面左下角殘留的一幅婦人供養像等。

主尊，雖說是觀音與勢至伴隨的阿彌陀佛，但或許也可以解釋為釋迦佛吧！因為兩手的印勢，不僅是阿彌陀，也是釋迦持結的共通說法印。但是畫面的構成，卻是很清楚與初唐石窟（即第103、321、339諸窟）的說法圖有著相同旨趣。這些說法圖，若從同樣場景不斷地反覆描繪來看，知其目的即是在暗示佛的遍布存在。再者，此種形式，正如隋代敦煌石窟壁畫見到的，只是從一佛二菩薩三尊像的簡單表現之圖（如第390窟）發展完成的（圖7-5）。但是，到了此鋪畫作出現時，說法的場面便加上了表現大乘佛教的菩薩（圖7-2、7-3、7-10、7-11），甚至連表現小乘佛教的比丘，即阿難和迦葉兩尊也加上，達六尊的組合。事實上，這樣的描繪即是歷史上視主尊與他們結合在一起的實際存在之佛，換言之，即是識它為釋迦牟尼的一個根據吧？然而，重要的十大弟子都沒有描繪，想必是因於畫面沒有多餘的空間。其後淨土圖的形式雖

圖 7-1　**樹下說法圖**　唐代（8世紀初）　絹本著色　139×101.7cm　Stein painting 6. Ch.liii.001

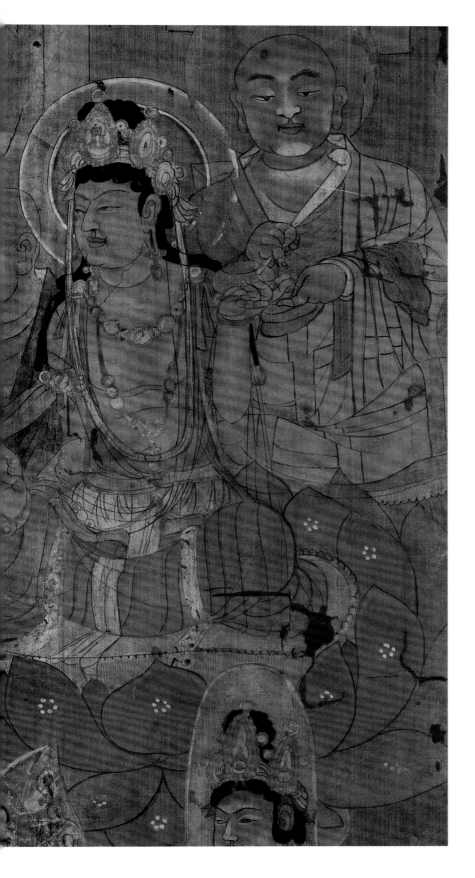

更為完整齊備，然而即使是絹畫或壁畫，比丘就只有阿難、迦葉兩尊而已，而且各以老少姿形顯示。再者，在表現上也見不到諸如此鋪圖繪中這般明顯的形式化，各個尊像的表現，特別是比丘的頭部，有非常細緻的觀察與描繪。

此鋪畫作的作者（畫家）其關心處很明顯，就是在於剃髮比丘那圓味頭部的描繪上（圖7-2、7-3）；同時，在面相的暈染和打光描寫上已略帶形式化，而且也可看出與墨的輪廓線已無關係。事實上這樣的處理，在其他幾鋪敦煌畫作上亦可見及。故知這確是中土繪畫藝術的固有特質，即線的主體表現技法上混合了西域美術的特質，即「光的美學」吧？

圖 7-2
主尊、左脅侍菩薩及比丘
（〈樹下說法圖〉局部）

圖 7-3　右脅侍菩薩及比丘（〈樹下說法圖〉局部）

圖 7-4
左脅侍菩薩頭部
（〈樹下說法圖〉局部）

　　這兩者的細緻差異已不待言。原因是，暈染的技法早在南北朝之後便為中土所擅
用，例如大英博物館藏傳顧愷之筆的〈女史箴圖卷〉，特別是其衣褶部分即是。再者，
對於所謂的暈染雖說已是形式化，但卻不會使作品的整體式樣陷於固定形式，而缺少
獨創性。毋寧說正好相反，因此其細部若能好好檢討，對其擅用的方法即可發現很多
既新鮮又生動的表現。例如主尊以外的各個尊像，其姿態和表現皆富變化。左下的菩
薩雖跪坐，但可讓人見其背面，做出傾斜的角度，顏面卻又做橫側面相的表現。比丘
之中有兩尊的部分身體隱於菩提樹蔭下，眼神卻各有表情。看看其眉毛，首先描上一

條線，然後施以薄墨，加上無數的細絨毛。大部分的絨毛皆彎曲，與最初的曲線成平行狀。但是左邊的那位比丘，稍淡的絨毛卻近於垂直，有如濃「眉」（圖7-3）。另一位比丘，有如詠唱般地張著口，可見到牙齒。因而臉頰和口嘴之間連線，相對於其他閉著嘴的比丘時，那短短唇邊、鼓鼓臉頰，便拉長地向下方延伸。事實上，在敦煌第201窟的壁畫上可見到與此相似的表現，即所謂的「讀經卷的比丘」（圖7-6）。

其他尊像的嘴唇表現，在神龍二年（706）墓誌的永泰公主墓壁畫上，亦可見到同樣的表現，故知此圖與其畫正是同時代的，換言之，即是此圖被比定為8世紀後半，嘴唇的表現開始變化，上下兩唇對合連接處所拉起的線，僅在兩端翹起，其後就持續下去直至10世紀，其唇線再延伸到末端時則銳利地折彎翹起。

此畫作者對立體表現的關心，正如前述對比丘頭部表現中所觸及的，也碰觸有關構圖的方法。基本上，對主尊本身幾乎沒有任何制約，因而四周圍繞的群眾像就被擠壓到較狹窄的空間，亦有隱藏在支撐天蓋的菩提樹幹之後，讓人見不到他的全身。再者，各尊像都有頭光，除了下方二菩薩為不透明頭光外，其餘皆是透明的，此有助於空間深度的感受。如第334窟亦可見到這樣的表現。

此畫的作者在相對價值的判斷上，具有優越的辨識力，又取以不同手法的描繪。例如同樣的頭光，右側樹蔭下的比丘場合，和站立其後比丘重疊的部分則為透明，但是與上方空白格的榜題重疊部分卻不透明（圖7-2）。這樣的手法更可感覺畫面空間的深度，同時有聚焦於主尊的效果。這可說是中土的思維，而非西方的。

若站在此觀點來看時，斯坦因自敦煌攜走的初期作品群中，構圖上最值得注意的就是表現〈靈鷲山釋迦說法圖〉的刺繡大作（圖7-8）。其構圖令人印象深刻的，是二比丘自兩脅侍菩薩背後乘勢而出的肢體動作之勢，以及圍繞主尊背後的岩山，令主尊具明顯浮出之勢的表現。但其後，特別到了10世紀，整個畫面則用心於色彩和裝飾，而且幾無空隙般地塞得滿滿，也失去了重視佛和諸尊像的區別及其間相互關係的製作態度。

從刺繡再回到繪畫來看，此圖除了上述所言之外，還可發現和好幾幅其他作品，具有殊異顯著特色。事實上，此圖與石窟壁畫及留存首都長安的類似作品，可做為相互聯結思考的線索。例如僅殘留下的供養人像，即那位手持華（花）靜坐的年輕女性圖像（圖7-7）。其整潔高雅的髮式和高腰及胸的裙裳，令人想起長安近郊8世紀初王公貴戚墓室所發現的宮女壁畫和人俑。這位女性供養人的上方，正有菩薩跪坐的蓮瓣台座。從其華莖長出的蓮蕾正好位於這位供養女性的頭後位置，因而，使其顏面和黑髮極為顯眼，同時，跪坐供養的女性亦持著對葉又有紅花長莖的花草。右下角的男供養人，雖僅殘存幞頭的上頂兒，但仍可見到裊裊香煙飄升到主尊的台座這方，令人想起他手中捧持著香爐。

前景中央，其實並未使用，留下填寫奉獻銘文空間的空白榜題之形（圖7-9）。此通龜趺座和盤龍碑

圖 7-5　**說法圖**　唐代初期　敦煌第 390 窟北壁

圖 7-6　**讀經卷比丘圖**　敦煌第 201 窟西壁

圖 7-7　供養婦人像（〈樹下說法圖〉局部）

　　中間色調的整體背景空間，布上暗藍色邊所構成的毛氈，其上描繪一位跪坐姿態的婀娜多姿婦女像，是作者特意的瞑想處理法。女子豐潤圓滿的顏面、嚴整的短髮、柔緻秀麗的高腰裙裳，以及柔嫩滑軟的虔敬雙臂，寫盡大唐中士信仰者的至高心境。事實此鋪小小圖像表現，確是研習中國服飾史的上好素材。

圖7-8　**靈鷲山釋迦說法圖**　唐代（8世紀）　刺繡　241.0×159.5cm　ch.00260

頭，與著名的西安碑林碑石有相同之趣。碑頭的蟠龍，很清楚在此換成以花瓣相互重疊的花紋，頂部為半圓形，其中仍保留著空白的長方形，若是實際碑石的話，此處為儀禮性書體的題記之處。同樣的榜題形奉獻銘，以新德里國立博物館藏斯坦因攜走的繪畫 499（參見《千佛洞》[2]圖版 11）為始，可在好幾鋪的壁畫中見及。例如第 335 窟的北壁，其東壁有垂拱二年（686）的銘記。此等壁畫為吐蕃尚未占領的 781 年之前，很清楚的，正是敦煌和長安之間，密切交流下的時代產物吧？

若只限於由拍攝和印製之物來判斷，敦煌壁畫中最接近〈樹下說法圖〉者，即第 329 窟（參見羅寄梅[3]：NO.1361）、第 321 窟、第 103 窟說法圖。第 329 窟的壁畫，其上有如此鋪說法圖上佛之右手持結的說法印，上方天蓋有網格和雲般的裝飾，四周為兩棵菩提樹葉圍起。主尊佛的蓮華座，正如此圖所見的，並沒有施以裝飾。但卻有稍稍簡化、同樣趣味的花瓣。下方的銘文框欄似傘狀。第 321 窟，即在東壁入口的上方高處，水平地並列著一群眾像，二比丘則是面向相同的方向（參見羅寄梅：NO.842）。第 329、321 窟，其主尊和兩脅侍菩薩，都有著類似此圖下方二菩薩所見的橢圓形頭光，即所謂的高馬蹄形頭光。又，第 103 窟南壁說法圖上描繪的佛頭（參見羅寄梅：NO.1229），在輪廓的描線、打光、暈染等，均可見到類似此圖之處，再者，其中臉頰到嘴角表現，可發現正與前述的「詠唱比丘」取以同樣的手法。此窟，一般視以 7 世紀末，即武后則天的時代，故斯坦因攜走的此鋪絹畫定以 8 世紀初的年代，正是確認的正中鵠的之探吧？

此外尚有一點，即與壁畫嘗試作一比較的表現。即天蓋上的雲和裝飾主尊佛蓮華座的花瓣之雲的比較探試。散華飛天乘飛的天蓋（圖 7-12）之雲，即仿自北涼最早期壁畫以來的長久傳統。但北涼的壁畫，即最早期的石窟洞，因被穿鑿，造成斷崖的崩壞，使得敦煌在早早之前便已面目全非了。然而，此說法圖同於唐代初期的其他繪畫（如第 329 窟的壁畫），雲是以靈芝雲構成，並施以種種不同的色彩和美麗的暈染。這種形式據說 9-10 世紀之間在敦煌已相當單純化了。再者，蓮華座蓮瓣的靈芝雲裝

7-9

7-10

7-11

圖 7-9　**榜題形奉獻銘圖**（〈樹下說法圖〉局部）

圖 7-10　**下方右脅侍菩薩**（〈樹下說法圖〉局部）

　　此像作側面禮敬供養之姿，是不常見到的橫面造形表現，也是探討菩薩裝身飾物使用法的上好題材。寶冠部分，已為人所熟知。但是有關身上最主要的「神線」、「絡腋」、「腹帶」三者纏法在圖像學史的研究上，一直有許多不明之處。圖中以二束絲綢帶繞過背後而垂於右上腕的絡腋、繞掛腰際的腹帶，以及腹帶中下一似扣環的設計，都是非常珍貴的圖像史料。手中持一蓮華蕾，這是藉助蓮華清淨思想，而達到成佛的菩薩修養。

圖 7-11　**下方左脅侍菩薩**（〈樹下說法圖〉局部）

飾，亦是同樣的華麗，不僅與壁畫裝飾同趣（如第334窟十一面觀音像光背和台座），而且亦可與奈良正倉院的8世紀中葉香印坐〈漆金簿繪盤〉做一比較。正倉院的香印坐，在一片一片的蓮瓣上，施以多彩華麗的裝飾。

最後，擬對此鋪美麗絲綢上施以彩繪的繪畫製作，做一二之述。此鋪可說是大畫面的整體絹畫，因而從絲綢的寬度，可推測其完成畫面的實際大小。此鋪絹畫在畫面中央是使用一幅縱的絲綢，寬為53.7公分。兩側為正對分切開的絲綢；然而絲邊與絲邊正相對合，而且與中央部分的絲綢亦相互對合縫上。畫的兩端被切掉的部分，是以其絲綢折疊成二層，再縫製成邊緣而加以保護，但是此圖的絲綢邊卻已失去。前述的，切成一半的絲綢，其寬現約23.7公分左右，故可推測兩端各缺了約2公分。此推測是藉以兩旁脅侍菩薩的台座，可以完整地見到為原則，故其後應還要1-2公分，這應是合理的推測，四邊皆也不見針痕，但是沿著畫面右方上緣的1公分內側，可看到所拉的墨線，想必這是當初畫家意圖標示的繪畫外框吧。

全圖因須描繪許多的圖像，在橫向關係上，是有必要作某種程度推擠錯落的處理。例如脅侍菩薩的蓮華座，兩端蓮瓣做成稍稍直立的描繪，多少有些不均整。但這個不均整，可說正是助與眾像位置關係上相互錯落之美的表現，而且更是敦煌被攜走的各種作品中，最為優秀的一幅美化創作之一。總之，這是一幅不固執於已確立的原有形式，表現上予人一種印象，是一幅追求理想、想要解決各種問題的作品。

註1：原書名：*Mission paul pelliot. XV . Bannie`res et paintures de Touen-houang.* Paris.1976.
註2：原書名：*The Thousand Buddhas : Ancient Buddhist painting from the cave-Temples of Tun-huang on the Western Frontier of China.* London , 1921; reprint Kyoto,1978.
註3：羅寄梅夫婦攝影石窟壁畫照片

圖 7-12　**飛天**（〈樹下說法圖〉局部）

8

唐代／8世紀中期左右至末期
〈報恩經變相圖〉

　　敦煌美術在壁畫上、絹畫上，有所謂的以繪畫性手法描繪經典的「變相」。此鋪即是依據《大方便佛報恩經》中的著名變相圖所繪（圖8-1）。「報恩」的概念，正契合中國傳統「孝」的德目，因而在中國極易普及。例如須闍提太子的說話，在《報恩經》的〈孝善品〉，即有為報雙親之恩，子女須盡義務的記述。故報恩的善德，與其說是始於受恩，還不如說是在於大大回報其「報」呢！此作品的右側外，就有在危機當下以自己身體救助親人飢餓的須闍提孝養表現，同時中央亦有充滿光明與歡喜的釋迦淨土描繪（圖8-4）。

　　此鋪唐代8世紀中期左右至末期的〈報恩經變相圖〉（圖8-1），整體看，圖面頂端仍留有紋樣飾帶和部分的垂幕，四邊亦有縫製的邊緣絹布，然圖上所見的，是已被省略的。此鋪除了前景中央部分缺損外，可說全圖幾乎完整。全作雖已褪色，但仍清楚留下豐富而又細緻的賦彩顏色，令人強烈憶起唐代時期壯麗無盡的佛教繪畫之美。其色、其形皆極精美，但就目前所知，其圖版甚少被介紹，僅見於松本榮一的《燉煌畫研究》一書中，而且是黑白印刷。

　　就淨土圖的表現而言，此圖較前圖8世紀初的〈樹下說法圖〉更加發展。正如佛教信徒們描繪想像的壯麗淨土，以助其所願再生於此淨土中，故全圖以龐大眷屬圍繞著佛陀開展，上方置以樓閣，下方配以舞伎、樂伎，構成一幅壯大且又充滿著歡喜華

圖 8-1　**報恩經變相圖**　唐代（8世紀中期左右至末期）　絹本著色　177.6×121.0cm　Stein painting 12. ch.

liv.004.

圖8-2　化生童子（〈報恩經變相圖〉局部）

麗的淨土構圖。大半聖眾聚集在蓮池的寶台上，而在蓮池上有合掌坐在蓮華上，象徵

不久即將再生之身（原文為「魂」）的童子姿形（圖8-2）。聖眾兩側的狹長外緣處，

有山水背景的故事圖（圖8-1、8-3、8-4），一共描繪了《報恩經》九則故事中的三則。

各場面的內容，在榜題上都記有依據各種故事的文獻，讓信眾可清楚了解此圖的含

意，故知這是有助於信徒教化的宣教手法。

圖8-3 左外邊條幅上方五段〈鹿母本生〉、下方三段〈善友、惡友太子說話〉、最下方為供養人像（〈報恩經變相圖〉局部，左二幅）

圖8-4 右外邊條幅上方七段〈須闍提太子說話〉、最下方為供養人像（〈報恩經變相圖〉局部，右二幅）

　　中土將佛典教義、思想、修行等，透過創作者「象徵性」、「比擬性」、「譬喻性」三種美學呈現的抽象意念手法，表現於壁上、絹上、紙上的圖像世界，即所謂的「變相圖」創作。《報恩經》全名是《大方便佛報恩經》；此經佛理與中國傳統千年的孝道思想正相吻合，於是傳入中土後，較歷代更興盛。上至帝王下至庶民，莫不虔敬思拜，以達安養七世親人之心。因而報恩經變相到今天為止，幾乎只有在中土才發現得到遺品，造成今日東西方學者，只有藉諸敦煌文物，才能深解其在美學、史學上的特有意義與價值。

　　中土報恩經變相，不僅直接闡發人性幽深光亮的一面，而且在圖面空間更賦予多重性內容的組合。換言之，即援於教義精神，導以當時社會所需，創作動人又感人的作品。如前左外邊條幅，上五段為「鹿母本生」。其下三段為「善友、惡友太子說話」，最下一段為供養者。而此右外緣部的上七段為「須闍提太子說話」、最下為供養者。須闍提太子說話，詳載於報恩經的「修養品」，即兒女受其因母之恩，有必盡報答之義務。圖中藉淨土光明與歡喜，以達其心境的描寫。

右側右邊條幅部分（圖8-4），自上到下有須闍提太子說話中的七則插畫。最上段為王前禮拜的紅衣官人，附有「波羅國大王和心懷謀叛不軌的大羅睺」的說明。第二景為「警告羅睺會領兵襲擊」的「虛空神祇飛來」場面。接著的二道場面為國王夫妻與須闍提太子，於城牆掛上梯子要逃出和帶著糧食遠行的場面。第六景為糧食用盡，王正欲揮劍殺妃子之際，須闍提即撥開利劍來到其前的場面。最下段為全身負傷的須闍提留下在路邊，國王夫妻繼續遠行的場面。此則故事留下的部分，可在斯坦因攜走的唐代9世紀前半的〈報恩經變相圖〉中見及。

左側的左邊條幅，在上方有二鋪五則榜題的故事畫，其上記有部分的〈鹿母本生〉（圖8-3）。即鹿喝了仙人洗過衣服的洗衣水，而使鹿懷孕的故事。此鹿生下的小孩長大後成為一婦人，在仙人所住的洞窟圍繞著走，而且從其足跡開出蓮花的場面。此場面連續重複二次。最下段，除供養者外，亦同是《報恩經》的善友、惡友太子的故事，且以不同的三個場面表示。下段為波羅奈國王和其中的一位妃子，中段為沒有子嗣的國王在神殿前祈願的儀式。結果，國王得二子，隨其性格，第一夫人的名為善友，第二夫人的名為惡友。上段為善友太子以財寶滿載國土成就的誓願畫面。榜題中，連圖繪以外的亦詳細記述。特別是最下段的榜題，有善友太子絕食，以及其母親向父王勸解允許其赴大海，以得摩尼寶珠完成其誓願的記述。

這些場景都是在山水描繪中展開，為了使人容易了解，還有象徵性的事物，並且加上簡單的表現。例如波羅國的都城，將狹窄的畫面以橫切城壁來表示。國王祈願的神殿，和神祇警告叛逆大臣即將飛來的場所（大概是宮殿？）！都是以有正面的入口和階梯的一棟建物來表示。其他的場景，如山丘作三角形，岸邊以Z字形作出場所，巧妙地組合在山水描繪中。在山的表現上，例如〈鹿母本生〉的細部（圖8-5）亦可見及。像生長的草、木、尖頂的山等，都非常顯眼。尖頂的山，在壁畫及幢幡形式的佛傳圖上亦可見及，甚至完全一樣的形式，還有好幾個。再者，為了強調山凹的窪處和直立的山壁，還使用了寬幅的墨線。

圖 8-5　左外邊條幅〈鹿母本生〉（〈報恩經變相圖〉局部）

供養人像，表現在此圖的外邊條幅的最下端。右為比丘和比丘尼，左為叫做「孟」的婦人，持著有柄的香爐跪著。這位婦人，從她彬彬有禮、恭恭敬敬的姿態、典雅高尚的髮型、高胸的衣裳等來看，此作的年代應不超過8世紀。

　　淨土上方的建築構造（圖8-7），即中軸上有門和中堂，中庭兩端配有迴廊接續的二層樓等，清楚地顯現唐代佛教寺院的外觀。門的前面，因有覆蓋佛頭上的天蓋和菩提樹，使得大部分都被遮藏起來。但從下往上看，屋檐和附有大鴟尾的巨大廡殿屋頂，正如聖眾全體的天蓋，大到橫跨一半畫面以上。而前方，繪有通過中堂有勾欄的台階。中堂為三間，柱頂有簡單的斗拱，其間可看到幾根顯示進深的柱子。中堂前面有捲起的簾子，內部有須彌壇和彩繪拉門。

　　中堂極小，因而和門的關聯令人感覺不出。其因是，門和中堂都是繪成從下往上看之形，宛如擴大兩翼的兩層樓，看到有如一棟建築，其中兩翼的樓層配色，一樓的屋頂同於門的屋頂為黑色，二樓的勾欄符合中堂勾欄，二樓的屋頂同於中堂的屋頂，配以黑的緣邊和鴟尾。構圖上，樓層卻是從上俯瞰而下之形。中堂左右則是接續著的迴廊，內側雖無法見及，但是外壁則塗滿白色，到處都有方形的直櫺窗和可進到裡面的入口。迴廊上共有六個空的蓮華座，屋頂上升起有四方佛的乘飛之雲，迴廊基壇貼有非常美麗的花紋磚。

圖 8-6　**頂上的帷幔**（〈報恩經變相圖〉局部）

圖 8-7　淨土上方建物（〈報恩經變相圖〉局部）

　　此鋪畫作用色濃淡極盡巧妙，掌握精準，予人富麗賦彩之感。例如畫面中央的一
群佛菩薩，當仔細觀之，可窺得此鋪畫作作者的意識，以及其運用的彩色方法。其中
諸尊背景施以黑色，光背卻賦予各種的彩色，使其極盡醒目。事實上，上方的門和側
樓屋頂的黑色亦具有同樣的功效。再者，諸尊的光背為了考慮色彩的相互調和，極度
謹慎地互相搭配組合。小尊像的光背多為單色，計青色五例、綠色四例，因考慮畫面
整體色調搭配，故巧妙有效地布散著。此等光背，其上有美麗白線描繪的紋樣，如橢
圓形和寬廣的多瓣形，但是由於剝落，現在僅勉強可以辨識。其他的小尊像光背，例
如紫色底施以白色捲雲紋樣的有四幅，橙色和紅色的底施以同樣的捲雲紋樣的有四
幅，皆從主尊等的間隔位置，作左右對稱的配置。其中的四尊，可以完全地看到，而

圖 8-8　寶台上菩薩（〈報恩經變相圖〉局部）

主要的三尊，光背有些部分是被遮蔽了。

　　主要的三尊光背（圖 8-8、8-9、8-10），確是並非這般的明顯，然而從圖版來看還是很清楚，故沒有必要詳細的說明。但是，佛的光背（圖 8-9）外圍周邊連續三角形的裝飾，值得注意。此等三角形，相互接合規則性的並列，但是隨著時代的往後推演，

圖 8-9　**釋迦如來**（〈報恩經變相圖〉局部）

各個卻獨立起來，形成尖尖之形。再者，連使用範圍，從佛到菩薩，甚而圍繞佛菩薩的小尊諸像，也次第地擴散使用。

　　脅侍的二菩薩，雖為正面相，但深情的慈悲容顏卻傾向中央的如來像（圖8-1、8-10），此正可與敦煌第322窟的初唐時期壁畫作一比較。若從其豐富的裝飾性來看，

圖 8-10　左脅侍菩薩及寶台上菩薩、比丘（〈報恩經變相圖〉局部）

　　圖中人物，取中國「線條區塊」與西方「色光顯體」的融會表現筆法。人物從頭至服飾，完全採用東晉顧愷之的飄逸流利游絲線描法，區劃各面造形體，使人體各部位的構成與組合，達到更為精準明確的顯現；然後輔以東方的無痕平塗色法。人物圖像雖為說法圖局部，但其所顯現的大唐色彩美學，不僅為敦煌的白眉，更是西方同時代不易見及的作品。

圖 8-11
左下舞伎（〈報恩經變相圖〉局部）

敦煌各類變相圖，其畫面正中多為所依經典的主尊佛，然後繞此佛四周布以菩薩眷屬。由此再擴及創作者所意圖表現的對象。任何一類變相圖，皆祈求自身與七世親人到達安樂的西方世界，即淨土宗最誘人的往生思想。往生淨土，必有依於淨土所表現的圖像，因而，各部經典所闡發供養功德，如十供養、甚而十五供養的一切，就滿布變相圖上。諸如寶蓋、華幡、雨華、飛天等。其中最為不可缺的，就是琉璃淨土上的梵音妙勝世界。

圖 8-12
右下舞伎（〈報恩經變相圖〉局部）

妙勝梵音、蒸發琉璃淨土世界的淨心根源，使祈願者、虔敬者、供養者，授於淨心勝樂，滿願於往生世界。故變相圖，妙樂舞伎歷歷顯影於空間四周。有布於格上、格中、格下、甚而外緣格。那奏樂舞伎手中的「樂器」，卻是成為今天考據東西文化交流，甚至中國音樂史上，絕對具有參考價值的原始素材。

在時代上，壁畫的豈不比絹畫的更晚嗎？但是圖樣上卻保有簡潔性。再者，前景有一

翻飛著綠色、紫色絲綢的細長型天衣舞伎，在兩隻迦陵頻伽之間跳舞者（圖8-15）。

這個光景，亦可見及敦煌第 220 窟等，令人想起已有的好幾鋪先行壁畫。畫面兩側左

右對稱的諸像（圖8-10），小的菩薩和樂伎（圖8-11、8-12）的衣裳顏色，都是鮮紫、鮮紅。

圖 8-13　阿難（〈報恩經變相圖〉局部）

圖 8-14　迦葉（〈報恩經變相圖〉局部）

圖 8-15　舞伎和迦陵頻伽（〈報恩經變相圖〉局部）

圖 8-16
帷幔（局部）
斯坦因攜走之物
唐代（8-9 世紀）
51.0×183.0cm
MAS 855. ch.00279

　　此鋪畫作使用的絲綢，中央部分的寬為 55.5 公分，兩側的半幅絲綢，各個約 27 公分。因此整個畫面較其前的唐代 8 世紀初的〈樹下說法圖〉稍寬大，當然縱長亦長些，但是兩側因繪入故事場面，主要的各個尊像大都被縮小。然而此畫作的作者，對比例關係的操作極為善巧，迴避了混雜的印象。

　　最後再列舉一點，即上方繪有優雅情趣的帷幔和花形的紋樣飾帶（圖 8-6）。帷幔描繪得極為用心，而且左右對稱以兩條白色絲帶打上蝴蝶結的垂飾。這種帷幔的實物，可見於斯坦因攜走的收藏中（圖 8-16）。即同樣的這種絲帶飾物，將整體帷幔分以三區。垂幕之上還有幅度極寬的紋樣飾帶，以黃色為緣邊，且各有兩朵小紅花，配以綠葉、黃葉的組合，構成一組一組的紋樣。中央的淨土圖和兩側外緣的介面處，即是以這種相同趣味的小花，一個接一個地綴滿在這個狹長的紋樣飾帶上（圖 8-5）。頂上的帷幔和紋樣飾帶，則是描繪在畫面頂端所縫製的另外絲綢上。

9

唐代／9 世紀
〈藥師淨土變相圖〉

　　正如索普（Soper）[1] 教授所說的（參見 Literary Evidence p.173），對應西方的阿彌陀淨土，而以東方為淨土的藥師，在佛教世界則是其後才登場的如來。藥師如來的兩脅侍菩薩，即日光、月光菩薩，雖是仿效阿彌陀，但卻未必如阿彌陀的左右脅侍觀音、勢至具有確切的性格。事實上就各個的菩薩身而言，其人氣也未必很高。藥師如來似是以藥王、藥上二菩薩為基礎而形成的，而且正如索普教授所揭示的，以十二神將作為眷屬的藥師如來，其機能可以視作是對應耶穌基督和其十二使徒的醫療奇蹟。

　　但就唐代的敦煌而言，藥師卻是非常受歡迎的時期，如〈藥師淨土變相圖〉（圖9-1）和已被攜走的〈藥師淨土圖〉（圖16-1），都是這個時期的產物。〈藥師淨土變相圖〉是一幅非常大的絹畫，構圖上，即使是敦煌石窟壁畫中最繁複的淨土圖，亦可匹敵上好幾幅。其大小還較壁畫更大呢！其細部描寫極為優異，保存狀況亦極好，故此中不僅揭示原圖，亦對其細部圖示加以刊載，讀者可對此畫作的各個部分加以詳細的端視，想必有助於與壁畫的比較探討吧！事實上我在撰寫此圖之時，因尚未到過敦煌，因而只有藉助出版物和普林斯頓大學的羅寄梅拍攝資料。就此鋪言，在構圖上，即使是每個細部的描寫，不止於敦煌的壁畫，就是較敦煌稍小規模的安西近郊萬佛峽榆林窟的莊嚴畫作上，亦可見及極其類似的淨土圖。其中的類似之點，容後再述。

　　此鋪畫面與其整體構成，完全同於西方淨土的表現。西方淨土圖基以《阿彌陀經》

圖 9-1　**藥師淨土變相圖**　唐代（9 世紀）　絹本著色　206.0x167.0cm　Stein painting 36. ch. lii.003

圖 9-2　釋迦如來三尊（〈藥師淨土變相圖〉局部）

的記載，有羅網（幕）和行道樹所圍起的七重欄楯（寶台），其間廣布有七座寶池，

寶池上有金色沙洲，綻開著芬芳的蓮華，四周可以聽到音樂和小鳥的鳴聲，表現出阿

彌陀如來正坐在這座充滿無盡光明和歡喜圍繞的樂園中央。此鋪畫作就是將如來換成

藥師，而且描寫皆是以阿彌陀淨土圖範例為模本。聖眾所站立的好幾座寶台，以勾欄

圖 9-3　**舞妓、樂妓及伽陵頻伽**（〈藥師淨土變相圖〉局部）

和樹木隔開，且擠出前景中的水池。池上滿布金色沙洲，其上有兩隻鳥展翅鳴唱，且
浮著載有小菩薩的蓮華（圖 9-5）和載有如胎兒姿形且又蹲踞著的裸體幼兒的蓮華。中
央祭壇的三角盤上置有金色的香爐，其前翻飛著天衣和圍著肩巾的跳舞舞妓。左右有
二童子舞踊，其中一人拍打著懸掛於胸前的太鼓。舞台兩側坐有舞妓，自左側前起，
演奏著琵琶、七弦琴、琵琶、箜篌，右側前起，則為笙、簫、笛子、拍板等樂器。舞
台前方，人首鳥身的伽陵頻伽正敲著鐃鈸和樂對奏。原來，在其前應是有鳥的表現，
現在卻不見了，但是畫面的整體印象亦是如此。在奏樂者群中混有中、西方要素；即
琴是中國古來最珍貴的樂器，琵琶則起源於西方，常被視為外來樂器，正與熱鬧的舞
踊應和著（圖 9-3）。

圖 9-4　寶台上的菩薩（〈藥師淨土變相圖〉局部）

圖 9-5　**左方寶台上的佛菩薩三尊**（〈藥師淨土變相圖〉局部）

如來的四周，從台座到祭壇的部分，有六尊菩薩，正捧著供物跪著（圖9-2）。如來的兩脅侍，即日光、月光兩菩薩（圖9-2、9-7、9-8），日光菩薩的右手，捧著大大圓盤的一尊小立像（圖9-8），其旁有四天王，其中著獅子造形肚兜，持琵琶的可視為持國天（圖9-10），接著有戴著聖獸冠飾（如鳳凰、蛇、龍、孔雀等）的諸像和兩尊鬼的形象等，其中一尊抱著裸身的幼兒（圖9-10），正同於第二卷圖50的絹畫〈淨土圖殘片〉上所見到的。如來被眾多眷屬圍繞著，其下方，即左右兩端的寶台上各有三尊佛菩薩像，為了接引表現出正走向勾欄邊地靠著上來（圖9-5、9-6）。其脅侍菩薩的腰帶和披巾，特別是捧著插有花的瓶花盤菩薩，和捧著有寶瓶的捧花盤菩薩的白色長腰帶，有意做出波浪飄動感覺，而且還穿過其間地垂掛勾欄上。這樣的表現亦可見於好幾幅描有菩薩和金剛力士等各一尊的佛幡畫中。站立的佛、菩薩三尊像的正下方寶台上，正是藥師眷屬的十二神將，兩邊各有六尊（圖9-11、9-12）。

聖眾背後，有著壯麗的建物，其上有乘著赤、青色雲彩的千手觀音（圖9-9）、千鉢文殊（圖9-10）。千鉢文殊在其內側的好幾個大鉢上，納有坐在須彌山的佛陀。這樣的密教圖像，在最下段亦有二尊。左為如意輪觀音（圖9-18），右者戴有寶冠，左手持有水瓶，勉強可判識為不空羂索觀音（圖9-19）。兩者各個有四尊小像環侍，一彈琵琶，一持蓮華，其他因畫面下方受損，無法辨認。

此鋪東方琉璃光淨土表現，在其右側的外緣為「九橫死」（圖9-14），左側的外緣為「藥師十二大願」（圖9-13）的故事圖。此中，「九橫死」不用言，當然較「十二大願」在圖解開展上更富想像力，再者，任何一鋪的藥師淨土圖，其「九橫死」都是非常接近《法華經》中以觀音為救助危難的救濟者性格。就此而言，由於藥師如來是其後所創造出來的，相對於被視為誕生此根基的阿彌陀如來和觀音，可說顯現出難以抗拒的虧欠。

值得注意的，此鋪圖繪非常類似榆林窟的壁畫，特別是被視為中唐極品的第25窟南壁〈阿彌陀淨土圖〉（圖9-16）的類似性上，不僅在諸尊的配置和描法，連樹、

圖 9-6　右方寶台上的佛菩薩三尊（〈藥師淨土變相圖〉局部）

圖 9-7　月光菩薩及眷屬（〈藥師淨土變相圖〉局部）

鳥等其他細部的表現亦極類似。說起這個，即為何要為這鋪變相圖大書特書之時，可

發現敦煌和其近郊的藝術在製作大畫面的主要表現上，其實都維持著它的保守性，但

在細微的部分卻還保有畫家個人的選擇和知識，以及想像力的發揮。舉一個非常相似

之例，即首先被注意到的，就是兩端的兩層樓房（圖9-9、9-10）。此鋪也罷！榆林窟

的〈阿彌陀淨土圖〉（圖9-16）也罷！樓房的兩側種有樹木，然而在好幾段之後部分

圖 9-8　**日光菩薩及眷屬**（〈藥師淨土變相圖〉局部）

的樹叢之葉，覆蓋了下層的屋頂。這些樹木因是踏襲南北朝以前即已確立的式樣，故
其枝幹在接近地表附近便分為二叉，粗的一枝在中間處看得到再分枝而上的痕跡。第
一層樓房的內部，有極費工夫打造的木造須彌壇，而且被描繪成幾乎有如整間房子一
般，其上還有大大的蓮華座。第一層的垂簾皆是向上捲起，但是上層的簾不管是畫作
的或是壁畫的，皆是好幾個向上捲起，好幾個垂下。從絹畫的左樓房，可見到向外看

圖 9-9
千手千眼觀音及建物左方 （〈藥師淨土變相圖〉局部）

圖 9-10
千鉢文殊菩薩及建物右方 （〈藥師淨土變相圖〉局部）

圖 9-11　**十二神將中的左側六尊像**（〈藥師淨土變相圖〉局部）

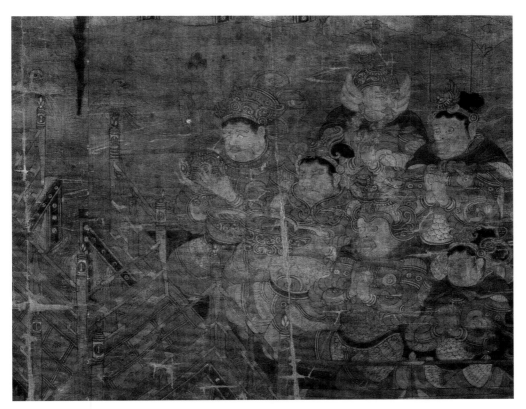

圖 9-12　**十二神將中的右側六尊像**（〈藥師淨土變相圖〉局部）

　　佛典如來中，藥師佛具有除病安樂、息災離苦、莊具豐滿等現世十二大願利益，
是吸引眾生信仰的最大迷人之處。然為滿足眾生大願，除配以日光、月光菩薩外，更
附以十二藥師大將，助眾生得利，這即是十二神將的由來。此神皆著天衣甲冑，呈魁
梧勇猛的武將之姿。此變相圖，保存如此完整，又與目前所知十二神將造形相異，實
是一幅珍貴又具多方研究價值的藝術品。

91

圖 9-13

外緣「藥師十二大願」

（〈藥師淨土變相圖〉局部）

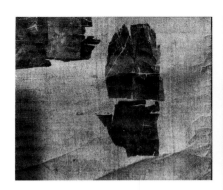

圖 9-14

外緣「九橫死」

（〈藥師淨土變相圖〉局部）

圖 9-15　蓮池上的鳥（〈藥師淨土變相圖〉局部）

的乾闥婆或可愛的天部姿形，其背後還可發現向上捲起的垂簾裡有另外一尊，但是頭和肩則隱藏在捲簾後面。順著同樣高度將目光移到右側樓房時，從建物陰暗處有露臉窺視的相同形樣之像，再者，另一尊兩手抓著勾欄、身體向前傾的尊像。此像及大多捲起垂簾的像，和相當類似的像，皆可見於壁畫上（參見羅寄梅：NO.3005,3006）。這些人像的表現，正是對細部的寫實性呈現，道出正確的觀察力，其立體性空間的描繪技法及量感，具有相當優異的造詣。

　　第 25 窟的壁畫〈阿彌陀淨土圖〉（圖 9-16），在阿彌陀三尊左右的寶台上，可見到各有一組的伽陵頻伽和大鳥。任何一者都是展翅著，其鳥有如白色之鳥，但右邊的鳥卻有著奇妙的孔雀尾巴。但是，此鋪畫作在三尊左右的寶台上，由於塞得滿滿的眾多尊像，伽陵頻伽反被描繪在舞伎前的位置上（圖 9-3）。其羽毛仍是條紋花樣，尾巴作有起伏渦卷狀般的雲形；大白鳥（圖 9-15）則站在金色的沙洲上，其中右邊的這一隻幾乎已消失，僅留下如孔雀般的尾部。而壁畫上的鸚鵡，則停在畫面前方的勾欄上。

　　主要的建物結構，就壁畫言，正如敦煌第 172 窟的淨土圖（圖 9-17），雖然還有

圖 9-16　**阿彌陀淨土圖**　萬佛峽榆林窟第 25 窟南壁　取自《Buddhist Wall-Paintings》圖版 23

圖 9-17　**阿彌陀淨土圖**　敦煌第 172 窟北壁

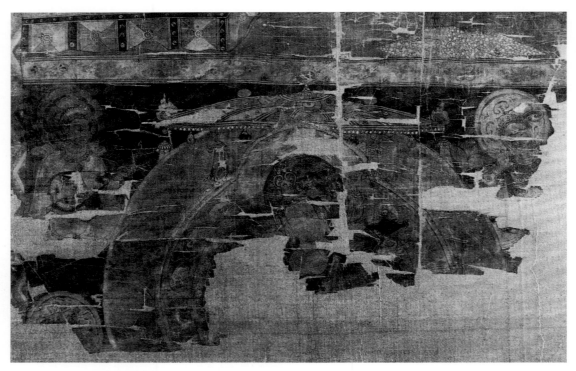

圖 9-18　**左下為如意輪觀音**（〈藥師淨土變相圖〉局部）

更富麗堂皇的，但是就敦煌的絹畫而言卻是其中最壯麗的。如來的正後方可看到大門的屋頂，在第三排的組合斗拱，可清楚地看到第二段的下昂。細細地看，兩端還可見到第三段的下昂，故知有簷口桁的表現。支撐組合物之間的連拱駝峰，最初雖然看不見，但是並非古早的人字形補間斗座，而是做成尖端為葉狀相對的 S 形。其變化的方式，還未進展到現存的五台山佛光寺 9 世紀佛堂中所見到的斗拱組合。

此鋪圖繪上的門，為一層，其上可見到上著薄薄色彩的赤色門軒，因而可清楚地看到這是另一建物的第一層。此棟建物圍有兩層勾欄，然而由於畫面的大幅度地破損，只能勉強看到上層的一些屋頂。屋頂雖看不到下昂，但是可見到和門同樣的斗拱組合。從門開始延伸的迴廊，在樓的兩翼背後處開始折彎，一者很清楚地穿過中堂，另一者一直延伸到左右的鼓樓和鐘樓的背後，展現出境內的寬廣。內部壁面為白色，窗為綠色，地面為青色，而迴廊的基壇亦有貼磚。迴廊上有四尊菩薩，站立在分踏的蓮華上。再者，兩脅侍菩薩的天蓋和其上高聳的相輪狀裝飾部分，顯現極為生動鮮麗

圖 9-19　**右下約可辨識為不空羂索觀音**（〈藥師淨土變相圖〉局部）

的表現，而且環繞舞躍的飛天，那長長天衣和五彩飛雲，可見到在屋頂之間相互重疊，且又時隱時現地拖著。白壁和紅柱通常是不變的，但是屋頂為了清楚地隔開，青色屋頂緣側施以綠色，而綠色屋頂緣邊則為青色。

如將目光移向外緣部分，其上有日常生活中的人物及情景描寫。當其景色要納含下與壁畫完全相似一致的表現時，可發現並沒有太多的空間。例如，榆林窟第 25 窟北壁〈彌勒淨土圖〉的宴會場面（**參見羅寄梅：NO.3020**），與此鋪絹畫右側外緣的場面表現作一比較，就可明瞭。即表示「橫死第三型」的場面，那「沉迷於打獵、競技、婦人、酒等，身心俱為鬼神所奪」的，且帶著獵犬的鷹匠（**圖 9-20**），和描寫臨終光景二比丘和俗形男子，似正展開黃色的卷物，朗誦《藥師經》的樣子，病人被妻子撐著橫躺床上的光景等，在此畫作上皆生動鮮活，令人如見當時的真實生活一般。

然而山水的表現，如壁畫上方右角落，那中空突起的山崖（**參見羅寄梅：NO. 3006**），和此鋪圖繪右側外緣，那男子飛身而降的山崖（**圖 9-21**）等，可發現有相當的類似性。

圖 9-20、9-21　**右外緣「九橫死」（局部）**（〈藥師淨土變相圖〉局部）

再者，此鋪畫作右側外緣頂端，在縱切的山谷間，用墨線和暈染描繪出被樹所覆蓋的島嶼狀之物。在榆林窟第 25 窟〈彌勒淨土圖〉（《敦煌飛天》圖版 74）頂端的山水，亦可見到同樣的描繪手法。

　　從上述文字，此鋪畫作和榆林窟壁畫的緊密類似性，證明了〈藥師淨土圖〉經常依存於〈阿彌陀淨土圖〉，同時，在思量佛教藝術的各種母型，是如何在極早之時便

擴散開來，而且還為各種繪畫所採用的問題時，是為強有力的資料。因為這樣的情形，令我們可以發現不是敦煌的畫被搬運攜離，成為了榆林窟畫家們的樣本，更大的可能性，就是敦煌的畫家親自前往榆林窟從事壁畫的製作。

長寬的比例，同於前述的二作，即唐代 8 世紀初期的〈樹下說法圖〉（圖7-1）與唐代 8 世紀中期左右到末期〈報恩經變圖〉（圖8-1）。畫面整體的寬度，三鋪皆為 56 公分左右寬的絲綢所縫製而成，相當於前述〈樹下說法圖〉作品的 1.5 倍。因此，此鋪恐怕是敦煌製作的絹畫中最大的一幅！此鋪左右之寬加上下之長的整體大小，除了新德里國立博物館和居美美術館之外，在斯坦因攜走的絹畫中，似乎還可列舉有唐代 9 世紀初的〈觀經變相圖〉（圖15-1）、唐代吐蕃期丙辰銘（836）的〈藥師淨土圖〉（圖16-1）、唐代 9 世紀前半的〈千手千眼觀世音菩薩圖〉（圖18-1）、唐代 8-9 世紀的〈觀經變相圖殘片〉（圖19-1）。外緣的故事圖，其寬度較前述的唐代 8 世紀中期左右至末期的〈報恩經變相圖〉（圖8-1）僅寬些許，然而中央部分卻極大，故作者可以畫下圍繞中央主尊的眾多聖眾，而且可以盡情地描繪多棟建物。再者，此鋪圖繪的四個角落配有密教尊像，深具曼荼羅的氣氛（圖9-9、9-10、9-18、9-19）。

最後，擬對此鋪畫作的年代，作一記述。此鋪與唐代8世紀中期左右至末期的〈報恩經變圖〉（圖8-1），或唐代 9 世紀前半的〈報恩經變相圖〉（圖11-1）等，即 8 世紀中期左右到 9 世紀初的淨土形式變相圖，雖然可做一關聯性的思考探察，但是實際上應是下到 9 世紀中期稍稍再後的時代。若無法與壁畫作一詳細的比較檢討的話，其正確年代是無法探知的，但是若從山水表現的細部來看，樹木和枝葉的表現已開始趨向形式化，以及懸掛在勾欄優雅搖動的白色腰帶墨線，亦已顯露僵化的徵兆等，這是因敦煌被吐蕃時期隔絕之後的現象，換言之，是一種墨守成規、無新鮮感的形式。

註 1：原書名：Alexander Coburn Soper; *Literary Evidence of Early Buddhist Art in China*. Ascona, 1959.

10

唐代／9世紀前半〈觀經變相圖〉

　　〈觀經變相圖〉（圖10-1）大小與〈報恩經變相圖〉（圖8-1）足堪匹敵，年代上亦與其前的〈藥師淨土變相圖〉（圖9-1）相互並行，但是在質的方面，以及保存的狀態，卻極差矣。

　　中央為結跏趺坐的阿彌陀如來及倚坐的觀音、勢至兩脅侍菩薩，因顏色的褪變及絲綢的變形，造成圖面形相的極度變樣。整體言，其結構還是以菩薩圍繞著佛，若與兩側有立像的菩薩做一比較，可發現有〈觀經變相殘片〉的資料（圖10-6）。此殘片畫作不僅較大，而且在時代上多少也較晚（同樣的這類繪畫殘片極多，都未經裝裱地保存著，因而可以確認）。祭壇之前的台階通過舞台，舞台上有隨著樂伎舞踊的舞伎。與舞台上通常有十至十二人的樂伎場面相比，此鋪左右只有三人，共計六人來看，令人覺得並非是有意的安排。在前景的蓮池上，有伸展出的兩座寶台，而且各有一群的佛和菩薩（圖10-3）。在前景中央宛如有小幅極品般的狹小蓮華池，其上有一隻迦陵頻伽、兩隻孔雀、兩隻鸚鵡等，令人察覺琵琶正應和著鳥兒們彈奏著（圖10-2）。池裡雖有金色塗彩的沙洲之岸和赤、紫的蓮華，但是化生童子僅僅描繪在下方兩側的寶台台階上。

　　事實上，上方的建築亦同樣地簡化。門和中堂、重層樓宇、迴廊等的結構形式，相當保守，而且柱和勾欄、上昂等，完全忽視空間的存在，取以平面的處理，只是在

圖 10-1　**觀經變相圖**　唐代（9 世紀前半）　絹本著色　168.0×123.0cm　Stein painting 70. Ch. xxxiii.003

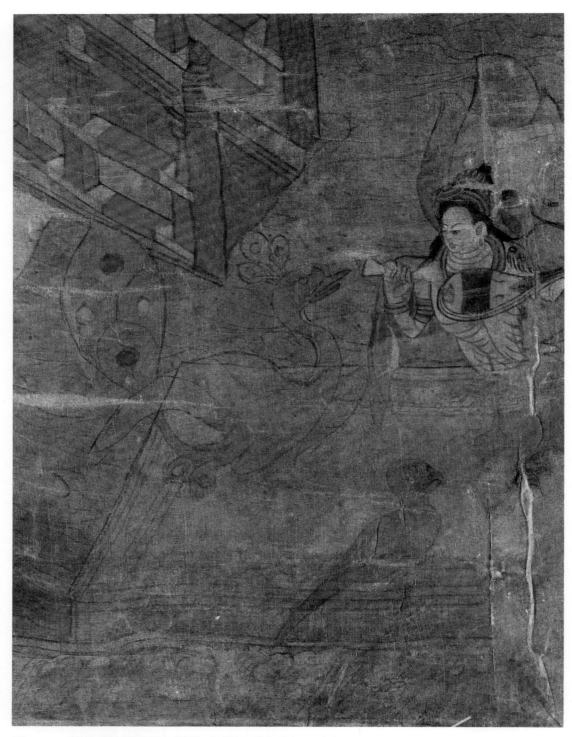

圖 10-2　迦陵頻伽和孔雀、鸚鵡（〈觀經變相圖〉局部）

白底處施以紅線表示而已。在建物上有升起的雲彩，其上有四方佛，各以三尊為一組，
建物上方還有兩棟中空的圓形堂宇（圖 10-1、圖 10-5）。此堂宇正如前圖的〈藥師淨土
變相圖〉，可窺知鐘樓和鼓樓是有目的意圖繪製的作品。但是這麼一來，就此鋪而言，

圖 10-3　右下方佛三尊（〈觀經變相圖〉局部）

圖 10-4　左為「十六觀想」、右為「頻婆娑羅故事」（〈觀經變相圖〉外側）

空間上不就是沒有兩脅侍的位置了嗎？而且建物的背後就圍繞得太過擁擠了。

　　外側的故事圖（圖10-4），同於其他〈觀經變相圖〉上西方淨土（阿彌陀淨土）的兩側，為頻婆娑羅王和韋提希夫人的故事圖（在圖19-8的〈觀經變相圖殘片〉上），有此則故事的其他章節表現，即是頻婆娑羅為了妻子想要得到兒子，便殺了仙人，而仙

圖 10-5　**上方建築物**（〈觀經變相圖〉局部）

人的魂則以白兔出現（圖15-5）。對此魏勒做了如下說明，即此場景與其說是經典，還不如說是依於善導註釋的《觀經疏》，因此，這不只是故事圖而已，還有密教的教義顯示。就中所謂的教義，即導惡為善的「否定因果」之說。「像這樣，頻婆娑羅沒有殺死仙人的話，仙人就不會轉世再生為阿闍世，又仙人無法轉世再生為阿闍世的話，他就不會幽閉父王（頻婆娑羅），若他沒有幽閉父王，母親就不會去訪視被幽閉的父王……。」等等展開，最後促使犯罪而被幽閉的母親，即韋提希夫人向佛皈依，展開了著名的一連串「十六觀想」（圖10-6）。換言之，此中頻婆娑羅殺害仙人的這一邪惡果報，歸終究底，是一相反的結果，即是對種下因緣生出善果的宣說。

　　此鋪畫作，很清楚的在畫面各處都採簡略化的表現，但是在另一方面，即兩側外緣，那難以整片組合的奇妙之形河岸，和宛如實物寫生之鳥的表現（淨土的創造物，因沒有鳥和獸等的規定，故在實際上是以想像描繪。）則可發現這是充分基於畫家的個性而表現的。

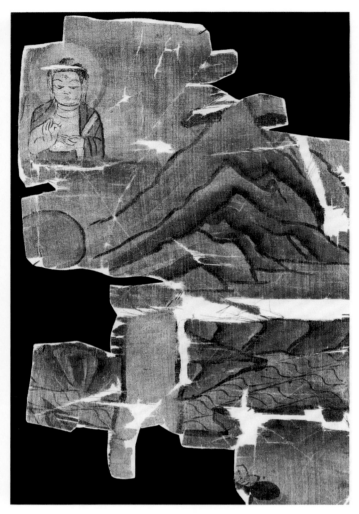

圖 10-6　觀經變相殘片外邊條幅十六觀想圖（局部）
唐代（9 世紀）　絹本著色　94.0×26.0cm　Stein painting
222.ch. 00457

　　十六觀想，是依於《觀無量壽經》中所記載的十六種
達到壯麗淨土世界的瞑想往生法。若有眾生受於三界諸苦，
只須面對阿彌陀佛所在的西方，虔心淨信的觀想，終有淨
土盛眾菩薩來迎，迎您至往生所願的清淨琉璃世界。此種
念佛往生的思想，大盛於唐時，是唐代第一大國師善導大
師所創的淨土宗的最根本信念。然十六觀想，即是：「日
想觀」、「水想觀」、「地想觀」、「樹想觀」、「八功德
水想觀」、「總想觀」、「華座想觀」、「像想觀」，「偏
觀一切色身想觀」、「觀觀世音菩薩真實色身想觀」、「觀
大勢至色身想觀」、「普想觀」、「雜想觀」、「上輩生想
觀」、「中輩生想觀」、「下輩生想觀」。

11

唐代／9世紀前半〈報恩經變相圖〉

　　此鋪變相圖（圖11-1）同於之前的〈報恩經變相圖〉（圖8-1），中央為釋迦淨土，左右兩側外邊條幅則是須闍提太子本生的故事。圖中釋迦兩手為說法印，正結跏趺坐於二菩薩之間。其下有舞台，在演奏樂器的二組樂伎群之間，正有舞伎舞踊著（圖11-5）。舞台下方，依往例看都有蓮池，而且在金色塗彩的沙洲岸上，其左有共命鳥，其右有迦陵頻伽（圖11-6）。但是，池旁兩側的空間卻被極度的壓縮，在這個不大的空間上，則有佛、菩薩和脅侍比丘所構成的第二組三尊像，反而成為了前景的主要景致。此中的主尊像（圖11-7），在佛衣上描有象徵佛教世界的各種形樣圖繪。即兩肩為日月，胸為須彌山，而兩側則有四臂的阿修羅和坐在鼎上的羅剎形人物。此等描繪，若依松本榮一博士之說，此佛即是毗盧遮那佛。但是，對此應視為具現宇宙真理的釋迦牟尼身形吧！如果是這樣的話，那可說就是《法華經》主旨的表現了。《法華經》中宣說，釋迦牟尼身形是顯現這個世上的佛法世界之主，換言之，佛陀其實是取以肉體之形而久遠常住地上之佛，而且讓人見其具現佛法世界的宇宙真理（參見 Buddhism in China, P.380）[1]。

　　外邊條幅故事（圖11-8、11-9），出自《報恩經孝養品》，自右側上方開始，再轉到左側，這時反由下而上接續者。第一景是「虛空神祇」飛降到宮殿，逆臣羅睺正舉兵謀叛、警告國王的場面。其下為描有梯子的場面，表示國王夫妻與須闍提太子正

圖 11-1　**報恩經變相圖**　唐代（9 世紀前半）　絹本著色　160.8×121.6cm　Stein painting 1.ch. xxxviii. 004

欲逃出。起初他們攜帶有糧食，但當用盡告罄時，國王卻欲殺妃子而食之，這時須闍提即奔向斡旋，割下自己身上的肉，獻以救母親之命。左側第三景正是雙親吃完須闍提太子最後三片身肉的二片之後，留下太子繼續旅途的場面（圖11-2）。他們走後，太子將肉身的最後一片給予野獸。此中的野獸為一隻白獅子，但是在最後之時卻回復原本的帝釋天形樣，同時也讓須闍提回復起來。

　　從式樣上的幾個特徵來看，此鋪畫作的時間可說是9世紀前半。在構圖上，被認為與敦煌壁畫的初唐說法圖較有關聯，其因即是較之前的〈樹下說法圖〉（圖7-1）更為深入，但是卻又不及盛唐之後極度精緻的淨土圖。特別是中尊背後的建築，兩側有翼廊的大樓閣，只有一棟。主要的三尊像，在其相距之間的下方，除了能窺見到二尊比丘的上半身外，四周幾乎沒有什麼物件，反而極其顯眼。這令人想起以刺繡所表現的〈靈鷲山釋迦說法圖〉（圖7-8），即主尊為了自其他物象中完全解放出來，就取以二比丘站立在菩薩背後的表現法。事實

圖 11-2
左邊條幅〈須闍提太子說話〉（〈報恩經變相圖〉局部）

圖 11-3　**釋迦三尊**（〈報恩經變相圖〉局部）

上，此鋪畫作亦取以完全同樣的構圖手法，即是在舞伎和樂伎的舞台之前，為了衍生出可以描繪第二組的三尊像空間，就取以菩薩和比丘為其脅侍的表現法。

　　舞者圖像的動勢表現極為穩健，衣服雖扭歪，但不反撓，而且曲線平穩順暢，舒緩有致地下垂著。諸菩薩和下方的三尊佛的頭光，其紋樣主要是從蓮瓣延伸出來，而且以粗線表現。此等表現與後世更為硬化的頭光，甚至幾何學式線條表現的頭光紋樣正好對照。同樣地，顏面和手，特別是主要的尊像，描繪得極為用心且纖細精妙。此與其後時代的一鋪，即五代天福四年（939）銘〈彌勒菩薩圖〉（第二卷圖17）上，同樣的菩薩顏面作一比較，想必就更為清楚了。換言之，此鋪畫作上的側斜面像，雖有幾幅臉上之線溢出顏面輪廓線的例子，但是幾乎該像的眼睛和鼻子，皆規整地收於顏面輪廓線的內側

圖 11-4　報恩經變相圖（局部）

圖 11-5　**舞伎與樂伎**（〈報恩經變相圖〉局部）

　　大唐文化的絢爛與榮華，即是融會當時中亞四十餘國的超大國際色彩。尤以藝術一環，繪畫、音樂和舞蹈，都達到空前的瑰麗。中土絲綢文化特產的飄逸彩帶、風搖柔幻的裙裳、纏以三曲腰身的美姬，不正就是大唐長安國際城，家家戶戶所吟唱的「胡旋舞」嗎？那快速轉身的一旋，揚起妙勝梵音、與君共樂的一舉手、一投足，不知陶醉了多少大唐政要與高賓。

圖 11-6　**下方三尊兩脅的共命鳥（左）和迦陵頻伽（右）**（〈報恩經變相圖〉局部）

　　供命鳥，梵名耆婆，是佛典中具特殊意義的鳥類。大唐玄奘三藏言，此鳥產於尼波羅國。正如其名，經中以「一身二頭」的禽鳥加以說明。有謂一頭睡時一頭便醒，永守著日夜的輪替；也有謂，一是表善人佛者，一是表惡人提婆達多者。迦陵頻伽，即是雀或是同類之鳥，其聲音美，為眾神所謳歌。後世的經典攝取其意，成為莊嚴佛國淨土的一個重要角色。特別是阿彌佛陀經中的極樂淨土，描述此島所居之處，以及能奏樂器的人頭鳥身之尊者。從敦煌遺物中看，二鳥正合經典所記，是極不可多得的研究素材。

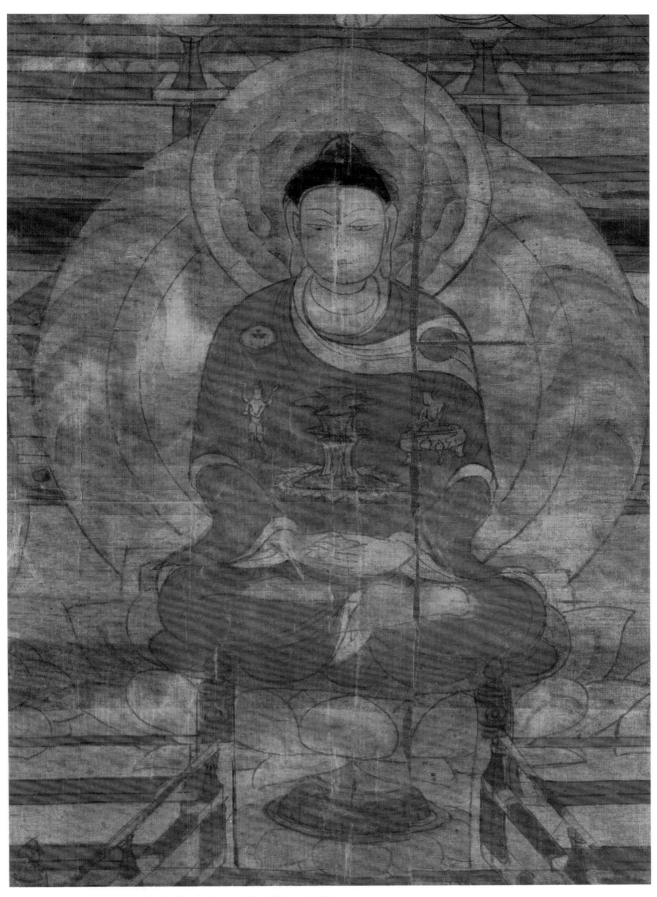

圖 11-7　下方三尊像的主尊像（〈報恩經變相圖〉局部）

圖 11-8
左邊條幅
〈須闍提太子故事〉
（〈報恩經變相圖〉
局部）

圖 11-9
右邊條幅
〈須闍提太子故事〉
（〈報恩經變相圖〉
局部）

圖 11-10　**供養人像**（〈報恩經變相圖〉局部）

（圖11-5）。但到了 10 世紀，雖說還不至於全部，卻可見到許多溢出輪廓線的表現。

外邊條幅故事圖上所見到的山水表現，是踏襲著石窟壁畫上的圖樣。其上風景，幾乎是以斷崖和山等的主要元素所組合成的。就表現來看，雖是單純，但赤茶和綠色的帶狀白色生絹則是交互配合，而且藉由墨色勾勒的山巖和輪廓，加以描繪添補。再者，為了故事場面的鋪陳開展，對三角形的山崖和岩石，每每以一區塊、一區塊地做極巧妙的組合。例如左下方很長又並列的山勢，就區分為二個場景，其上有一塊緊鄰高高的小丘，又垂直地堵住山岩，將平坦沒有任何物件的場面區分為二。上面的，連突出的斷崖，也都被用來做為發揮這類功能的要素。左右兩側最上段所描繪的山，較下段所描繪的山還大，可看出那是位於更遠之處，但是所描繪的樹其大小卻與下段的

圖 11-11　銘文及供養人像（〈四觀音文殊普賢圖〉局部）　唐代咸通五年（864）

樹完全一樣，其樹是從稜線之下長出，因此樹葉遍滿遠處的山上。再者，右上的建築擺得斜斜的，但是表示波羅奈國首都的城壁，卻將畫面做水平的橫切。

　　插入各場景說明的題榜，塗成赤茶和黃色，而且幾乎是左右交互地配合著，但是只有最上段的是插在中央。此鋪榜題與之前的〈報恩經變相圖〉（圖8-1）不同，其榜內沒有文字，恐怕此故事已眾所周知，只要從一個個的插畫內容，就很容易讓人了解其含意了吧！下方的供養人（圖11-10）之間的榜題，到底是描好畫作後，放著等待有人來訂購呢？還是，即使沒有設定特定的供養人，然而此種形式卻是畫面上不可欠缺的重要構成要素呢？到底是哪一種？今已無法得知。若從跪著合掌供養人端莊的舉止和男子供養人的軟腳幞頭等來看，可說正好證明了此鋪年代為 9 世紀半的稍前之際，而且令人想起近於唐懿宗咸通五年（864）銘的供養人像（圖11-11）。

註 1：原書名：K. K. S. Ch'en, *Buddhism in China: A Historical Survey*. Princeton, 1964.

12

唐代／8世紀末至9世紀初
〈普賢菩薩像〉

　　此鋪〈普賢菩薩像〉（圖12-1）堪稱是敦煌繪畫中最美的畫作之一。全作繪在褐色絹底上，施以穩健的色澤，雖是一幅小品，卻是本來就是屬於此卷其後所繪製的眾多幢幡幡畫中的一鋪，特別是畫作本身，在式樣的特色上具備有較那些幡畫（指《西域美術》第二、三卷）近於更早時期的大畫面作品，因此被識以大概是8世紀末到9世紀初的作品。

　　〈普賢菩薩像〉（圖12-3），特別是吐蕃期（西藏支配時代，781-847）及其後，成為敦煌千佛洞所盛行描繪的壁畫。此鋪畫作在發現時就沒有幡頭和幡腳等，不過其他的幢幡幡畫，亦有留下完整的幢幡形作品（圖28-1）。此鋪畫作原來是縫製在幢幡上，應是與文殊菩薩的幢幡，相對地吊垂著的吧！

　　普賢菩薩，舒暢穩健地端坐在她的乘物六牙白象上（圖12-2）。菩薩完全正面向，但象的身體卻朝向右方，而象首則轉向左方。象的一隻前腳揚起於白蓮華上，其他腳則穩穩地踏在各自的紅蓮花上。因而，不管怎麼說，即使是靜止性的構圖，但畫面卻到處可見到暗示的或預想的「這種動勢」表現。而這種動勢，在縱長狹窄的畫面構圖中，確實別有風味。若是與唐代懿宗咸通五年（864）銘的〈四觀音文殊普賢圖〉（圖23-1），從畫面兩端向中央的動勢，以及唐末至五代初期的〈文殊菩薩圖〉（第二卷圖14-1）、〈普賢菩薩圖〉（第二卷圖13-1）上的文殊、普賢表現，正可相互對照。其中，

文殊、普賢各自由龐大眷屬伴隨著
行進，這樣的動勢由於捲起的微風，
使得每尊頭上的天蓋向後隨風起伏。

　　畫家促使畫面生氣蓬勃的精妙
表現，亦可見於其他的部分。例如，
普賢顏面雖靜止穩健，但顏面邊緣
黑髮的鬢角處垂掛有小小的穗子，
由此形成的輕巧花蕾，讓其下的臉
頰線條看起來有柔軟豐腴之感。再
者，紅唇以薄墨施以輪廓，上下兩
唇的縫口卻描上濃墨，兩端圓鼓又
採輕巧上揚之勢，呈現微笑一般。
唇的兩端，柔軟又圓潤的清楚線條，
在 9 世紀之後被省略。兩肩和為了
進深表現得極短的兩手腕後方，垂
著有如厥狀揚起的黑髮。從頸處垂
著有一圈細長白色裝飾的帶子，而
且一直垂到膝間，但卻隨著身體和
著衣之勢作一曲線的變化，令人感
覺到她不會陷入後世所見到的各種
尊像天衣，為了均衡對稱反而過於
嚴肅表現。

圖 12-1　**普賢菩薩像**
唐代（8 世紀初末至 9 世紀初）
絹本著色　57.0×18.5cm
Stein painting 131. ch. xivi 006　圖版編輯及

圖 12-2
六牙白象
（〈普賢菩薩像〉局部）

　　此鋪畫作現已褪色，不過從畫面的一些表現，可推知當初是由極其豔麗色彩描繪的。普賢所坐的蓮華座蓮瓣，原施以青色；外衣是由帶紫的赤色施以陰影，內衣則是明亮強烈的赤色，作一巧妙又精美的對照。乘坐之象，塗以白色，再以膚色施以穩健的潤飾。象頭上，像固定馬面當顯的黃色皮革裝具，塗以極精美的黑褐色。此畫作原本也是同於其他的幢幡，四周應是有框邊的，現在兩側邊只留下黑褐色的線，而底邊則有些部分配以花的紋樣裝飾。

圖 12-3　普賢菩薩（〈普賢菩薩像〉局部）

13

唐代／8世紀末至9世紀中期左右
〈觀世音菩薩像（局部）〉

　　此鋪〈觀世音菩薩像〉（圖13-2）在構圖上稍帶傾斜，然而醒目的手勢，在右手的指間持著水瓶，左手則握著垂掛於肩上的楊柳小枝。四周邊緣和畫面上、下方都已缺失，大部分頭光和約一半的頭部均嚴重受損（圖13-1），極為可惜，但是其他部分保存狀況相當得好。頭光的受損，大概是因為使用強烈腐蝕性的綠色顏料所導致，寶冠幾已缺失，但是上方化佛的前頭仍微微地殘存著。嘴角上方到鼻子左翼之處有些受損，而且可見到從背後貼上的修整絲綢，但是顏面的其他之處，正如本來之樣，可知當初是在白底上施以粉紅的暈染。臉形及小小的嘴角鬍子、下巴鬍子，當初大概是綠色，唇口對合的黑線，右端的不僅鼓起，而且微微上揚。

　　頭上黑髮極長，雖然看不到頭的部分，但仍能見黑髮順著兩肩垂下，在肩上還作成小小上揚的髮穗。肩上披有綠色外衣，以墨線勾勒衣褶。墨線看起來如波浪曲動般，這恐怕是因於編織的偏差吧！想必原來是柔暢順勢的線條。如果從頸部垂飾而下的細白色絲帶形樣來看，即可知之。此條飾帶正如隨著身體曲勢搖動般，被描繪成緩緩垂下的彎曲弧線，而且在腰間，從左向右地倚靠過來，然後再繞過外衣，往下形成了一個環狀。綠色外衣之下，可見及穿著強烈紅色的裡衣，而橙色暈染的衣裳，則與腰間的白色衣褶形成鮮明又醒目的對比。

圖 13-1　**觀世音菩薩像**　唐代（8 世紀末至 9 世紀中期左右）　絹本著色
119.5×55.4cm　Stein painting 8. ch. lvi. 0016

菩薩繫著寬腰帶，然帶邊和帶孔則以墨線勾繪出輪廓，並施以赤褐色，之後再以黃色點出高彩度。再者，身上的裝飾品除了首飾的連串小珠是紫色外，其餘的從寶冠的垂飾到耳環、胸間的瓔珞、腕釧，甚至腹部的大圓形飾物和長長的飾物等，皆是同樣色彩的組合表現。就菩薩的裝飾品而言，取以這樣色彩和形樣的表現，確是敦煌長期以來所喜好的，特別是 9 世紀之際可發現不少。

此鋪畫作，雖是以一幅絲綢來描繪，然而從圖面看，其頭上描有天蓋，而下方缺失之處，應是踏在裙裳和蓮華座上的足腳等，可推測當初此畫作是相當長的，應有 150 到 160 公分左右，故其縱長尺寸足以匹敵其前的一鋪大畫作，即唐代 9 世紀的〈藥師淨土變相圖〉（圖 9-1）。在敦煌和榆林窟的壁畫上，亦可發現在緊接著的淨土圖上，也會描有一鋪大的菩薩像。例如榆林窟第 25 窟的〈彌勒淨土變相圖〉左側，即描有大的菩薩像（參見 Buddhist Wall-Paintings，圖版 36）[1]。由此觀之，此鋪應與同樣縱長尺寸畫面所描繪的另一鋪觀音像，一起垂掛於淨土圖的兩側，且為其脅侍。故知此類畫作，是沒有單獨一鋪垂掛的。

註 1：原書名：Langdon Warner, *Buddhist Wall-Paintings, A Study of a Ninth-Century Grotto at Wan Fo Hsia.* Cambridge, Mass., 1938.

圖 13-2　觀世音菩薩像（局部）

14

唐代／9世紀中期左右
〈觀世音菩薩像（局部）〉

圖14-1　觀世音菩薩像
唐代（9世紀中期左右）　絹本著色
101.6×58.5cm　Stein painting 25. ch. 0091

此鋪〈觀世音菩薩像〉（圖14-2）褪色甚為嚴重，但作品本身卻極為優異，而且也確是9世紀之作。菩薩右手持楊柳小枝，左手持水瓶。水瓶中延伸出長又彎曲的葉莖，莖上除了蓮蕾和蓮葉外，還有完全異種的小小對葉植物。因此描繪此畫作的畫家，恐怕未曾見過實際的蓮華吧！或者是想要表現觀音的慈悲可進達於曲曲彎彎的葉莖吧！蓮蕾和蓮葉正如同淨土變相圖外側邊緣上，展開山水表現的場景，即在彎彎曲曲的葉莖之間，尋找恰適的空間以描繪表現。

菩薩雖為正面向，但是腰部稍稍右扭，左肩有幾分向前傾出之感。顏面色彩完全消失，只留下主要部分的線描而已。在寶冠的化佛上，可見到兩簇鬢髮，而頭髮則垂於兩肩之後，在肩上卻作出奇特的髮穗，而髮的末端在手肘高起處有勁地鼓起。髮式雖近於前圖的觀音像，但是大衣當初似為紫色，而裡衣則為綠色，較前圖狹窄了許多。左腕上方露出在大衣之下，僅纏以紅色披帛，因此腹部微微外露。大衣邊緣作波浪形、描以舒緩弧線，從左肩懸掛於右腕，有些部分則垂掛於外側，剩餘的又迴繞於左腕上。這樣的描繪表現，促使全圖的動勢與空間處理有著極為優異的感覺。事實上，即使是同樣的畫題，卻陷於僵硬的形式化之感，例如，一鋪9世紀後半的〈觀世音菩薩像〉（第二卷圖3）等即是。

畫面右下方有二位婦人供養人，正持著蓮華跪坐著（圖14-1）。兩位婦人的簡樸髮型，正可判斷為9世紀初或中葉時的式樣。兩側邊緣及下方嚴重缺失，但上方及兩側面幾乎完好保留著。左上角的題榜同於前圖，留有空白。

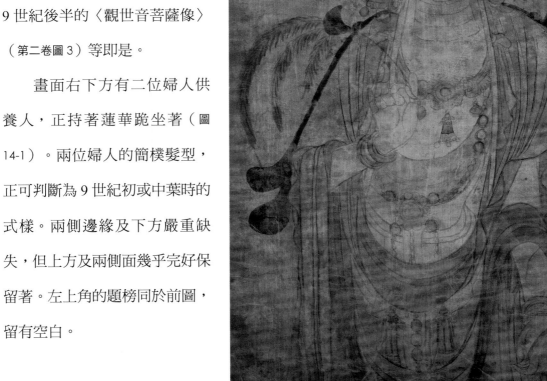

圖 14-2　觀世音菩薩像（局部）

15

唐代 / 9 世紀初
〈觀經變相圖（局部）〉

　　在形式和外觀上，此鋪〈觀經變相圖〉（圖15-2）極似前鋪9世紀前半的〈觀經變相圖〉（圖10-1），即中央為觀音和勢至隨侍的阿彌陀坐佛，其餘的菩薩大部分以方形地圍繞著觀音和勢至。然而中央祭壇的兩側，則有二位跪著面向阿彌陀、捧持著供物的菩薩像身形。下方舞台有樂伎，各以五人坐於兩側。舞伎和迦陵頻伽前方，在兩側配有小型的寶台，其上有第二組的三尊佛。左側外邊條幅描有韋提希夫人的「十六觀想」，右側外邊條幅則為「頻婆娑羅的故事」（圖15-4、15-5）。此畫面受損嚴重，然而仍可見在表現上有些拙劣。如畫面上方的建築，迴廊的進深度，完全疏於應有的努力。鼓樓、鐘樓亦無任何支架，看起來有如覆蓋在迴廊的屋頂上。

　　圖15-1 正是此鋪〈觀經變相圖〉的部分，即阿彌陀的左脅侍觀音菩薩，左手持著蓮華。而與此鋪相對應位置的勢至菩薩（圖15-3），正提供了判斷此鋪畫作年代的重要線索。即僅此二尊與其他尊像相異，換言之，即是受到異於中土的圖像表現影響。

　　觀音（圖15-1）身著紫色網狀格的袴子和披帛，舒暢坐著，上半身幾乎全裸，且有橢圓形頭光。勢至（圖15-3）雖持金剛杵，但是亦取以同樣身形。兩者在肩上垂有如蕨狀揚起的頭髮，這個經常見於吐蕃期的敦煌畫上。此二尊菩薩的表現，如與近於吐蕃期結束，記有836年紀年的大畫面作品〈藥師淨土圖〉（圖16-1）上的兩脅侍菩薩作一比較的話，整體觀之，我們可發現此鋪畫作顯示了9世紀初敦煌美術正迎接過

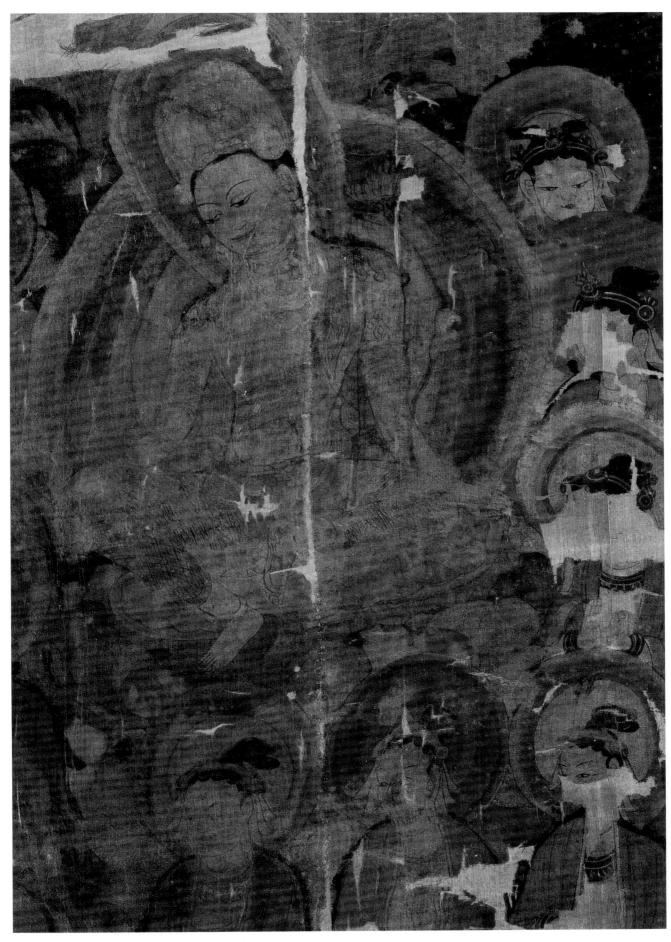

圖 15-1　觀音菩薩（〈觀經變相圖〉局部）

圖 15-2　**觀經變相圖**　唐代（9 世紀初）　絹本著色　173.5×120.0cm　Stein painting 35*. ch. lvi. 0034

圖 15-3　**勢至菩薩**（〈觀經變相圖〉局部）

渡期時的特徵。故在式樣上、圖像上，亦持續不斷地吸收新的活動，不久，從中土來的、西方來的，都被吐蕃佔領時的敦煌斷絕了，正如五代、北宋期的敦煌繪畫，正當於失去其活力之前的時期。

圖 15-4
左外邊條幅
「十六觀想」
(〈觀經變相圖〉
局部)

圖 15-5
右外邊條幅
「頻婆娑羅的故事」
(〈觀經變相圖〉
局部)

16

唐代／吐蕃期丙辰銘（836）
〈藥師淨土圖〉

　　此鋪〈藥師淨土圖〉（圖16-1）儘管下半部分大半已缺失，但仍屬於敦煌被攜走的絹畫中最大級的圖繪作品之一。再者，在中央有西藏文字和漢字併記的銘記（圖16-10），雖然以肉眼幾乎看不見，但是所記年代卻極清楚，使此鋪畫作成為最重要的基準作品之一。此則銘文在魏勒作成的斯坦因攜走敦煌畫目錄當時，仍是無法解讀，然而近年因於紅外線的拍攝，已可以判讀出來。在希若‧卡梅（Heather Karmay）的 *Early Sino-Tibetan Art* [1] 著作中已介紹了。卡梅女士對其西藏文解讀如下：

> 辰之年。我。比丘貝爾揚。描繪藥師如來。普賢。文殊。千手千眼觀音。如意輪觀音。不空羂索觀音等諸像。欲得自身功德與彼等功德。（欲以描繪。濟度眾生。）

　　漢字銘記直寫，從左至右，共九行，內容同於西藏文，雖然重複一次，但是年代記述卻極清楚。此鋪漢字銘記，現在較卡梅發表之時，解讀得更為詳細。即：

敬畫藥師如來法席　一鋪文殊普賢會千手　軀不　空羂索一軀千眼一軀如意輪一　以此功德奉為先亡□弌　□□□法界蒼生同　□共登覺路　丙辰歲九月癸卯朔十五日丁巳　建造畢

圖 16-1　**藥師淨土圖**　唐代吐蕃期（西藏支配時代）丙辰銘（836）　絹本著色　152.3×177.8cm

Stein painting 32. ch. xxxvii. 004

　　此鋪銘記，正如其他的許多絹畫，不是記在下方，現在所留下的畫面，幾乎是位在
畫作中央。漢文和藏文兩方銘文，認為一致又具優勢之位的是藥師如來（圖16-3），而且
隨著二菩薩和多數眷屬坐於上方中央，統領著整體。至於其他眾像，畫面上雖可作某
種程度的判別，但是因於銘文的記述，更加明確。中段的，即銘文兩側的隨侍眷屬，
即普賢和文殊，事實上從其乘物，即象和獅子亦可知之（圖16-7、16-8）。又，下段中央為
千手千眼觀音（圖16-4），左方有變化觀音中的其中一尊，即如意輪觀音（圖16-5）。

圖16-2　**藥師如來的右脅侍菩薩**（〈藥師淨土圖〉局部）

右方的另一尊，依漢文銘記，可知另外的變化觀音是不空羂索觀音。吐蕃時期的敦煌

流行文殊和普賢，從石窟壁畫的諸例即已明證。再者，從此等壁畫上可見到描繪的大

型觀音，可發現當時確是流行觀音信仰。此鋪畫作，魏勒比定為觀音曼荼羅，卡梅亦

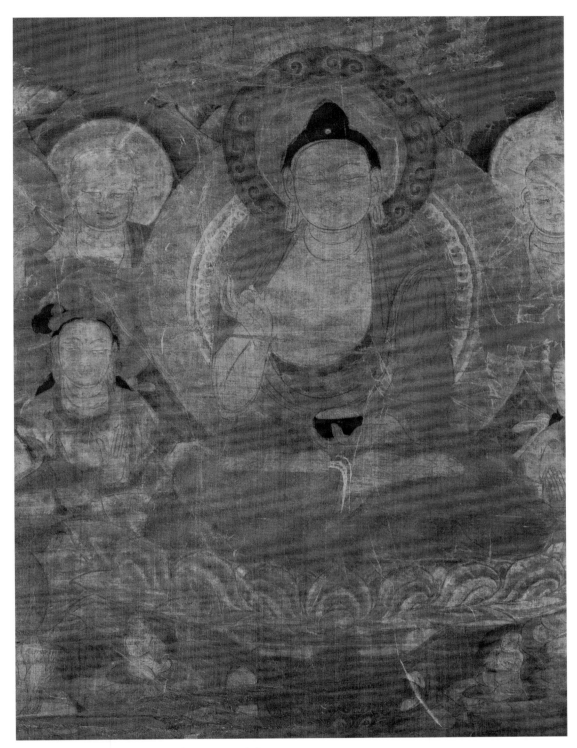

圖 16-3　**藥師如來**（〈藥師淨土圖〉局部）

支持其說法，但我認為還是以二鋪銘記所顯示的藥師如來圖旨為優勢。此作雖非完全

踏襲藥師淨土圖形式，然而恐怕是被請託製作的西藏高僧，取以個人嗜好而繪製構成

的吧？

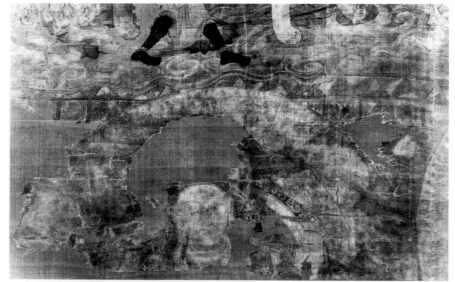

圖 16-4
中央下方的千手千眼觀音
（〈藥師淨土圖〉局部）

圖 16-5
左下方的如意輪觀音
（〈藥師淨土圖〉局部）

　　此鋪不止於藏文和漢文銘記的併記，在繪畫表現上亦可見及西藏式的要素。關於此點正如卡梅所指證的，我們可發現混合著如下的二種式樣。即「……在敦煌共存著二種完全迥異的式樣，一是構成繪畫的主要尊像，可發現完全是中土的式樣，而另一者與敦煌攜來的一連串西藏繪畫有緊密關係，故可窺知即是藥師的兩脅侍菩薩式樣。」當然，我們此中所見到的，與其說是「二種迥異式樣的共存」，還不如說是「二種迥異圖像的統合。」事實上兩方的圖像，在線和色上，完全是取以同樣的手法。正如從眉的部分可清楚見及：以薄墨打以描線稿，肌膚塗白，再以粉紅施以薄薄暈染。施上色彩之後，眉和嘴角、衣褶等，雖描以重墨，但是手和指、耳朵等卻施以紅色描線。兩

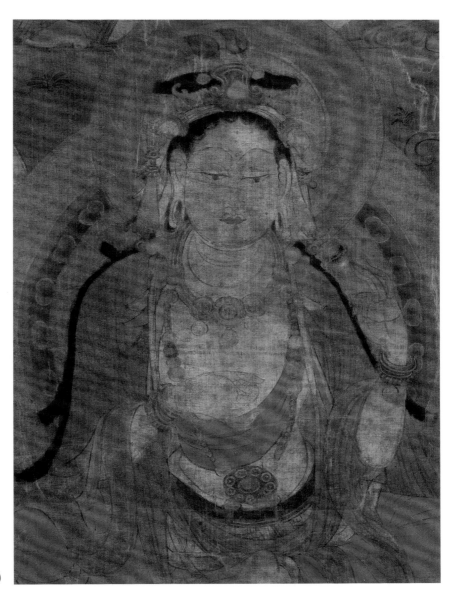

圖 16-6　**普賢菩薩**
（〈藥師淨土圖〉局部）

側的圖像都可發現這種共通的表現式樣，故知此圖在繪製時，讓人充分地了解到那是有
善於掌握相同式樣技巧的多數畫家一起參與的。圖像表現上的差異在於彼等身形上，即
依其容貌和其衣著知其不同。上方的脅侍二菩薩（圖16-2）穿戴印度式的輕薄衣飾，且取
以半跏姿勢端坐著。身體扭向一方，而頭不僅朝向相反的方向，而且頭部的一側拉長，
另一側則短短的，產生深度進深之感。再者，頭髮垂掛於肩，髮的尾端作出小小的曲捲。
在這一點上，下方的文殊（圖16-8）和普賢（圖16-7）不僅取以同樣的半跏姿勢，而且裝
束打扮亦規整，正好形成相互的對照。文殊、普賢（圖16-6）顏面幾乎左右對稱，頭髮長
長舒緩而下，處處可見及髮穗，而且從肩垂掛至腕。

圖 16-7 普賢菩薩和眷屬（〈藥師淨土圖〉局部）

圖 16-8　文殊菩薩和眷屬（〈藥師淨土圖〉局部）

圖 16-9　左上方的山岳風景（〈藥師淨土圖〉局部）

此圖在某種意義上來說，其性質正介於一般有建築的淨土圖和曼荼羅的中間位置。左上方殘留有風景圖（圖 16-9），當初右上方也應該有同樣的風景描繪。再者，藥師三尊和其眷屬的背後一帶亦應描繪有風景，在月光菩薩的左脅殘留有一些寬葉的植物，可視為即是其風景構成上的一部分。在其周邊的空白上配著稀疏的花草，上方藥師三尊聖眾所乘坐的寶台和中段的文殊、普賢聖眾，以及下段三尊之間，以相連的磚塊為其界線。此鋪畫作的細部有不少魅力型的尊像。其中以飛舞於文殊和普賢天蓋四周的小飛天，和文殊、普賢旁各有一尊隨侍，且持握著幢幡之竿的菩薩，極為顯眼。

文殊、普賢兩聖眾群和同於其上方那似飛天的十六到十八尊所構成的小形群集坐像（圖 16-11），乘著從上方飛來的雲彩，整體看起來全部皆面向中央行進。下段三尊像皆靜止。千手千眼觀以眾多之手構成幾何學光背，和如意輪觀音、不空羂索觀音以紅色所框邊起的圓形光背，卻占了大半畫面。

　　正如卡梅所作的說明，吐蕃期的敦煌，即西藏支配的時代，相當於丙辰年的只有836年。即使是經典的場合，在此時期通常是不記中土的年號，僅以干支表示年代而已。在式樣上亦極清楚，即 9 世紀之物。文殊和普賢的表現，與被確認為有確切紀年的〈四觀音文殊普賢圖〉（圖 23-1），幾無任何的差距。故此作品的「丙辰」紀年定以 836 年，應沒有錯誤。而此畫從吐蕃期的敦煌畫發展來看，實是極為重要的作品。

圖 16-10　銘文（〈藥師淨土圖〉局部）

圖 16-11　右上方的飛天和雲上菩薩（〈藥師淨土圖〉局部）

註 1：原書名：Heather Karmay, *Early Sino-Tibetan Art*. Warminster, 1975.

17

唐代／吐蕃期9世紀初
〈阿彌陀八大菩薩圖（局部）〉

圖 17-1　**蓮池與供養人**（〈阿彌陀八大菩薩圖〉局部）

　　此鋪〈阿彌陀八大菩薩圖〉（圖17-2）過往依魏勒的比定，視為觀音菩薩，但是寶冠上有化佛，又結有定印的中央主尊像，應視為阿彌陀如來較宜。畫面下方繪有兩隻鳥正佇立於金色的沙洲上，由這個畫面可清楚地窺知此與阿彌陀淨土圖有關。中段兩側各有二尊，合起來共有四尊菩薩，都以西藏文付上尊名，故知右側為除蓋障菩薩

圖 17-2　阿彌陀八大菩薩圖（局部）　唐代吐蕃期（9 世紀初）　絹本著色　95.0×63.5cm　Stein painting 50. ch. 0074

圖 17-3　**文殊菩薩**（〈阿彌陀八大菩薩圖〉局部）

和普賢菩薩，左側為地藏菩薩和文殊菩薩（圖17-3）。然而上下所描繪的，右為觀世
音菩薩（持蓮華者）和金剛手菩薩，左為慈氏菩薩和虛空藏菩薩（圖17-4）。

　　下方，正如同早期的作品，和主要的畫面之間，以似菱形狀的紋樣飾帶作為區隔，
然後放上非常小的婦人供養像（圖17-1）。此鋪畫作以青色為地紋，使其達到統整色

圖 17-4　**虛空藏菩薩**（〈阿彌陀八大菩薩圖〉局部）

彩的重要功能。同樣以青色為底紋的，可見於唐代 8 世紀初到 9 世紀末，麻布著色的
〈千手千眼觀世音菩薩圖〉（第二卷圖 40-3），類似的亦可見於有 868 年紀年的《金剛
經》版畫裡頁的畫作上。在式樣上，近於前鋪的〈藥師淨土圖〉，與西藏式的二菩薩
（圖 16-2）極為類似。故就此點而言，此鋪畫作的製作年代可以視為在 9 世紀初。

18

唐代／9世紀前半
〈千手千眼觀世音菩薩圖〉

　　此鋪〈千手千眼觀世音菩薩圖〉（圖18-1）極度精美優異，故魏勒讚賞此為被攜走的作品中最為極致的傑作之一，松本榮一博士則視其為唐代密教佛畫的代表作，由此可窺知，吐蕃時期盛起的敦煌密教具有高度的人氣。密教的影響正如前述，與此鋪幾乎同樣大小的〈藥師淨土變相圖〉（圖9-1）所見到的，描繪有四尊變化觀音，其中二尊則有千手。在另一鋪的大畫面〈藥師淨土圖〉（圖16-1）中，千手千眼觀世音則為主要尊像的表現。此鋪淨土圖因留有相當836年，即「丙辰」的紀年供養銘，故記有與如意輪觀音併列的確切尊像名號。從這類的觀音流行和密教普及來看，不僅是所謂的壁畫和絹畫的繪畫，即使是其他的造形分野，確實也是盛行這類的圖像表現。在斯坦因攜走的作品中，有一幅描繪在麻布上的唐代8世紀至9世紀初〈千手千眼觀世音圖〉（第二卷圖40-3）。此鋪畫作上，則繪有穿著9世紀初期至中期衣裳的供養人像。然而，卻較現在的這鋪稍小些，因此圖面上所構成的各種尊像數量亦少，但是配置的方式幾乎相同。居美美術館收藏的981年銘作品，中央也是千手千眼觀音立像，然而周邊的許多尊像亦同於此，也是描於同樣的位置。新德里國立博物館亦有好幾鋪類似作品。

　　此鋪畫作的中心為千手千眼觀音，其描繪極為精緻（圖18-2）。顏面和從衣飾中露出的前膊及手，其肌膚的色彩，極謹慎地以橙色施以暈染，然後以紅或紫色勾描。

圖 18-1　千手千眼觀世音菩薩圖　唐代（9世紀前半）　絹本著色　222.5×167.0cm　Stein painting 35. ch. lvi. 0019

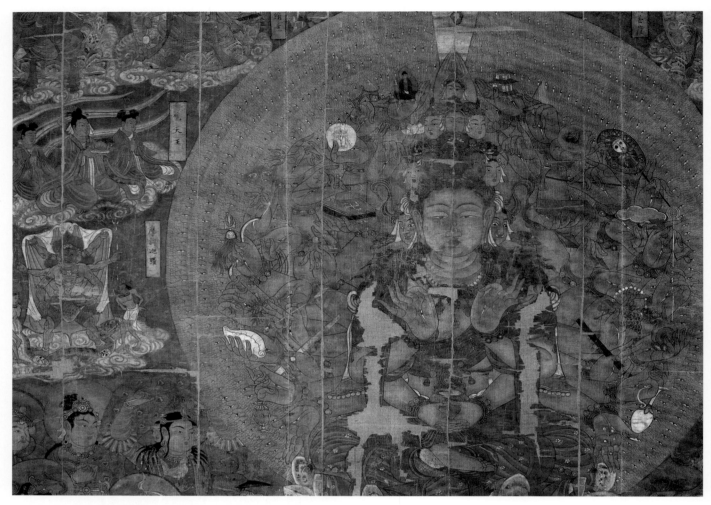

圖 18-2　**千手千眼觀世**（〈千手千眼觀世音菩薩圖〉局部）

　　此幅畫早為中外學者所讚揚，已達到藝術創作極致的條件，同時更是中土為數不多密教美術上，極度重要完整教理思想的代表作。但是此圖的存在，卻有更大於佛教美術價值上，另一深具中土歷史與文化香火永綴不息的可歌可泣的一面。敦煌失陷吐蕃的那段歲月，即是大唐的辛酸時日，也就是這件作品誕生的時日。見不到大唐親人的敦煌子孫們，雖在異族統治下，仍以漢家生息的一切，創作出漢家生命的藝術心境。這不正道出漢家「藝術香火」的纏綿與無畏嗎？

　　再者，像會搖動般的光背外圍，亦是以無數之手配以一隻眼構成整體畫面。光背的內圈裡有四十隻手，且持著各種的持物，或作結印，而且在尊像四周還配以複雜的圖形。在其頂部則有二隻手作合掌印。綠色腕釧上配有青寶石，而且持物大多施以青色等，此部分色彩以青色為基調，與覆蓋觀音肩上寬廣又綿密的頭髮青色，正相調和。在許多的持物中，白色的螺及其相對的水瓶、上方的日月、接近頂部的如來像和建築物等，特別醒目。頭部共有十一面，寶冠置有化佛。觀音的下方，餓鬼和貧兒正張開雙手等待著，承接持結與願印雙手降下的甘露和七寶（圖 18-1）。

正如前述的，那鋪小形的唐代麻布繪製的〈千手千眼觀音像〉（第二卷圖40-3），環繞觀音的主要各種尊像，上方為日天和月天、下方為持金剛杵的二尊怒髮鬼神，中段兩側為如意輪觀音和單腳跪立的菩薩。此鋪絹畫不僅包含了上述所有的尊像，還加上許多的尊像。在上方日天、月天（圖18-8）的兩側，有超越佛的十方佛（圖18-5、18-6），以各五尊分描於兩側。畫面左方，在其下描有捧持華盤的「散花」和變化觀音之一的，即以羂索救濟眾生的不空羂索觀音（圖18-5）並列著。右側對應的位置，是捧持華盤的「塗香」和如意輪觀音（圖18-6、18-10）並列著。其下兩側原是印度神，但是已成為被佛教攝入的護法神，即梵天和帝釋天，且有眷屬隨侍。其下，左為站立的摩訶迦羅天，右為騎乘有白色斑點的青牛，抱著象徵其創造者功能的小孩摩醯首羅天（圖18-9）。

此等尊像和兩側最下方的火頭金剛（圖18-11）之間，左右皆有群像。左方群像以孔雀王為先頭，以及菩薩和四天王中的二尊天部諸像所構成（圖18-12）。天王中的一尊，從其持物之槍和塔觀之，可判定為

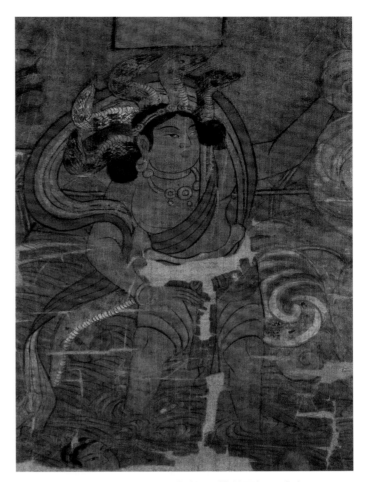

圖 18-3　**龍王**（〈千手千眼觀世音菩薩圖〉局部）

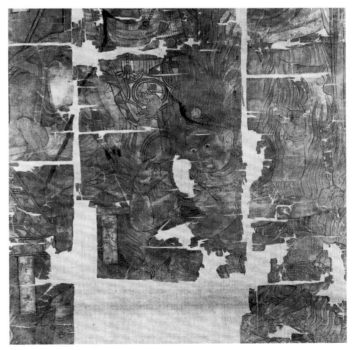

圖 18-4　**青面金剛及婆藪仙**（〈千手千眼觀世音菩薩圖〉局部）

圖 18-5　**十方佛、不空羂索觀音散花**（〈千手千眼觀世音菩薩圖〉局部）

圖 18-6　**十方佛、如意輪觀音、塗香**（〈千手千眼觀世音菩薩圖〉局部）

圖 18-7
蓮池及八大龍王
（〈千手千眼觀世音菩薩圖〉局部）

北方天的多聞天。在群像之前，可見到跪著供養華盤的功德天（圖18-11）。右方群像以金翅鳥王為先頭，和四天王之中的二尊，以及如來、抱著兩個小孩的婦人（恐怕是訶梨帝母）（圖18-13）。再者，對應功德天位置的，即是一位持著栩杖跪著的白鬚鬍老人婆藪仙（圖18-4）。其消瘦孱弱的手足和骨瘦如柴的體軀，與有大曆十年（775）碑文紀年的敦煌第148窟南壁龕中的極為類似，雖有四臂，但同樣是老人身形的尊像。

在這樣的兩群像之間，有方形的蓮池（圖18-7），而且池中升起觀音的蓮華座蓮莖。此莖為渦卷狀的五彩繽紛之水圍繞著，亦被二尊頭上戴有五頭龍的龍王（圖18-3）支撐著。池下方有被火焰光包著的二尊像，然而僅剩部分殘留。若依題榜上所記的像名，可知是頻那勒迦（圖18-11）和毗那夜迦。

依居美美術館收藏的有紀年作品（伯希和圖錄，《敦煌幢幡和繪畫》篇的圖版101為「943年銘」，圖版103為「981年銘」）可確切知之，吐蕃時期結束後，還將近150年仍持續盛行著千手千眼觀音菩薩像。然而從式樣上看，此鋪斯坦因攜走的作品，一定是相當早期的。居美美術館所見到的10世紀作品，已走向相當幾何式的式樣化，那紅綠的強烈對比，已形成濃烈的配色。再者，令人注目的，即是銘文和供養人像取以極大的空間。構圖上為了要攝取新的要素，且使表現合理化，有必要省略

圖 18-8　**天蓋及日天、月天**（〈千手千眼觀世音菩薩圖〉局部）

圖 18-9　**摩醯首羅天**（〈千手千眼觀世音菩薩圖〉局部）

不要的部分。因此蓮池上的龍王，943 年銘的那鋪便失去龍蓋，而 981 年銘的蓮池作品，則擺在祭壇之後，勉強可見到一些些。然而此鋪畫作各處也並非這般地被省略，

圖 18-10
如意輪觀音
（〈千手千眼觀世音菩薩
圖〉局部）

可見到完整的表現。例如下方蓮池的四周各種尊像，雖非如上方各種尊像般地乘著
雲，但是 10 世紀的畫作卻失去了這樣的區別，各種尊像都是乘著形式化的雲。

此鋪畫作的各種尊像，在各處的表現上差異極微，特別是環繞中尊的在手腕上的
表現極為顯著。居美美術館的作品，手腕是取以放射狀圍繞著觀音，故其表現僵化，
相對的，此鋪手腕、手指尖作出種種角度的變化，而且不管怎麼樣的交錯也絕對不會
產生混亂的組合。最後，對其顏面細部不妨細細觀之。嘴角的表現，可發現是使用同
於前述的唐代 8 世紀初的〈樹下說法圖〉（圖7-1）手法。此鋪與居美美術館等的繪畫
作品，即五代 10 世紀的紙本著色〈千手千眼觀音菩薩像〉（第二卷圖71），在式樣上、

圖 18-11
火頭金剛、功德天
（〈千手千眼觀世音菩薩
圖〉局部）

圖像上，可發現帶來了兩極性的發展階段。

此鋪畫作共用三幅寬約 55 公分的絲綢，四邊皆有 5 公分左右的空白，可見到當初邊緣縫製的狀態，因為從畫面的邊端可見到殘留下細細絲線紋狀的痕跡。下邊的空白亦殘留一些，由此看，知此鋪畫作原來就沒有描繪供養人像。故就此點言，似於唐代 9 世紀的〈藥師淨土變相圖〉（圖 9-1）的早期大畫面作品。其中的理由，想必是像這般超大又豪華的畫作並非由個人奉獻，而是因於眾多的供養人，或者請託者一起協同合力奉獻的吧！事實上，即使是從壁畫之例來類推，亦知這類畫作也不是單獨垂掛用的。但是，對於這類畫作的使用情況，目前尚未有滿意的答案。

圖 18-12 **孔雀明王及四天王**（〈千手千眼觀世音菩薩圖〉局部）

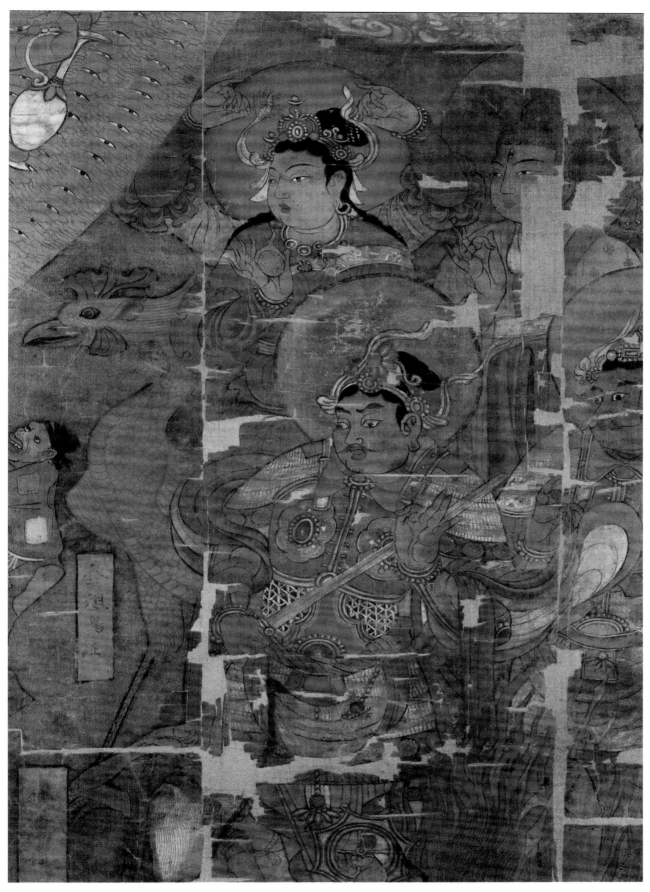

圖 18-13　**金翅鳥明王及四天王**〈〈千手千眼觀世音菩薩圖〉局部〉

唐代／8-9世紀
〈觀經變相圖殘片〉

　　此鋪〈觀經變相圖〉在完成之際，那光彩眩目的顏色，一定是令人誇讚不已。然而現在卻是斷斷續續、零散破碎，只殘留下一半不到（圖19-1），但是那令人驚豔的鮮麗色彩，足以匹敵伯希和攜走的，好幾鋪10世紀半到後半的大畫面作品（參見伯希和圖錄，《敦煌幢幡與繪畫》篇，圖版6、101、104）。再者，式樣上不僅與上述相異，而且在斯坦因攜走的作品中，和其他的任何一鋪絹畫亦無法等同視之，因為它本身具備有種種的特徵，這一點值得特別注意。

　　正如從匯集的殘片中，嘗試復原畫面（圖19-1）所知的，此鋪的右側外邊條幅為韋提希夫人的「十六觀想」，左側外邊條幅為「頻婆娑羅故事」（圖19-7），而底部則為「十惡人」（圖19-8），換言之，這是標準的觀經變相形式。當初的畫面其寬約為三幅59公分絲綢所聯繫而成的，而且邊緣為褐色底，其上施以紅、橙色彩，再以黃色勾勒描繪的纏枝紋樣裝裱。這種描繪的裝裱極為特殊，在他處亦是相當罕見之例。伯希和攜走的一片殘片上，也有這種描繪，而且也是此鋪的式樣，同時亦可確認出由此構成了「十惡人故事」和下端的部分邊緣。

　　現在從構圖來看，中尊幾乎完全消失，但是左右相互配對的坐像、立像，各有三尊像，全部共有六組。上方的左右二組應是阿彌陀的兩脅侍，即觀音、勢至。然而，該當右上三尊像的殘片，有必要作一詳細的調查。

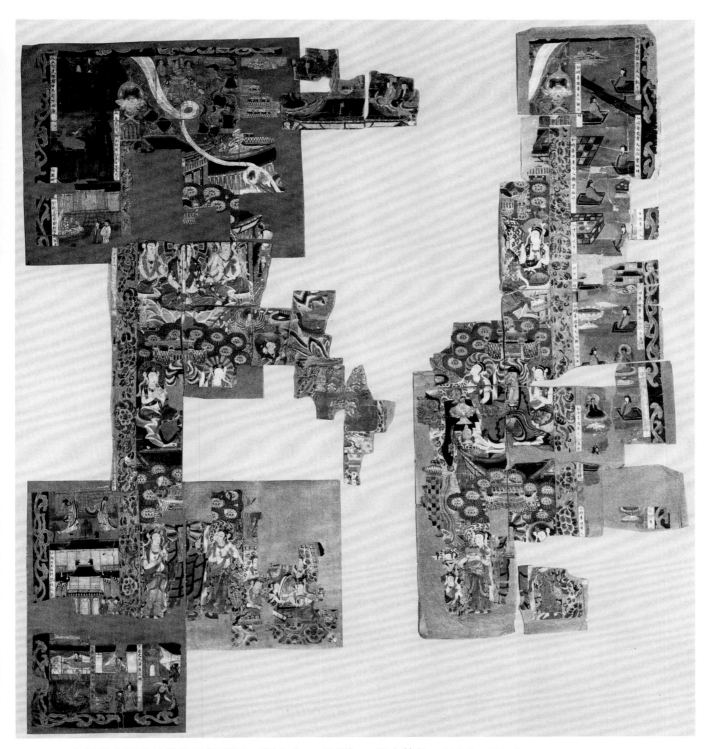

圖 19-1　**觀經變相圖殘片的復元假想圖**　唐代（8-9 世紀）　絹本著色　210.0×177.0cm　Stein painting 37. ch. 00216

　　此變相圖，雖僅殘存一半左右而已，然而圖上留下艷麗無比的色彩，以及大膽快意的筆觸；大墨大綠的塊面塗壓手法、西域暈潤深淺的透染技法等，完全都已展現於這幅殘片上。今雖已成殘片，在圖像學上的「解讀」研究，以及此圖像在美術史上所具有的表現與構成思想的解釋精研上，可能是無法達到如此真實的地步了。但是它所殘留下的仍是今天研習 8 世紀前後，佛教美術上，線條表現，色彩塗繪，構圖布局，以及創作者的象徵概念等的一幅傑作。

圖 19-2　上方普賢菩薩和樂器（〈觀經變相圖殘片的復原假想圖〉局部）

　　魏勒的《敦煌畫目錄》，對此等菩薩像幾乎未觸及到。至於右方坐像的佛三尊，只記有「佛的右手結說法印，伸向前方，左手掌開展於膝上」。因此，對於主尊到底留下些什麼？若想作一探尋的話，正如一幅嘗試回復的復原圖（圖19-1），是有必要對許多的殘片作一相互聯繫的復原作業。其結果是，中央的部分雖是僅僅的一些兒，但是主尊的姿形是可以再現的。主尊坐在豪華裝飾的台座上，以美麗的金線綴以緣邊，紅衣有褶。右手應是當於胸前，在殘片的上端殘留有部分的肘和腕施以些些的金彩。青色翅膀的迦陵頻伽則矗立在台座的左側。

　　此鋪的右上方，有花飾紋樣帶連接起的一幅畫作，不僅同於其下的佛三尊形式，而且還有相隨的脅侍和坐姿菩薩。此尊菩薩一定是主尊阿彌陀如來的其中一尊脅侍菩薩。此菩薩的裝扮極為華麗，黑色厚實的頭髮覆蓋於肩，且垂到肘，衣裳以綠、青的

圖 19-3　下方中段舞伎群──有笙、篳篥、琵琶、豎箜、篌、箏、笛（〈觀經變相圖殘片〉局部）

花樣和美麗的白色條紋裝飾。台座的蓮瓣為綠色，並以白色描出葉脈。與此相對的主
尊左脅侍菩薩，僅留下一部分。顏面已缺失，僅留下頭的左側和結說法印的左手等，
但是其旁小菩薩（圖 19-4）卻完全保存下來。主尊的左脅侍菩薩，亦是波浪形的黑髮
且垂於肩，僅留下手指尖，然而左腕四周綴滿花飾，且穿戴腕釧、臂釧。寶冠幾乎是
金飾，耳上部分嵌有青寶石，額上部分則嵌以紅寶石。中央的紅寶石之上可見到紅色
的小片。這是化佛的一部分，故知此尊菩薩為觀世音菩薩。

　　外側部分以赤紅色為底，再描以花和葉的纏枝紋樣式的寬幅紋樣帶，以做為與畫
面主要部分的區隔。此紋樣帶上方有一個橫跨兩個範圍的造形體，其上擺有一個置放
火焰寶珠的蓮華座（圖 19-2）。再者，樂伎群左右的立像三尊像背後，描有另外的纏
枝紋樣，做為屏障紋樣（圖 19-5）。此紋樣並非顯眼顏色，而是以黑色底浮顯灰色的

圖 19-4　**觀世音菩薩的左脅侍**（〈觀經變相圖殘片〉局部）　唐代（8-9 世紀）

　　鮮艷塊面的色彩，快速的布塗，是此幅作品不同於敦煌其他遺品的一大特徵。除人物主體，尚能見到幾近於鉤線痕跡的底描外，其餘多處空間，都不以線的區劃處理為主。像右側多變厚重且又有帶濃淡的雙重技法，根本就是以重色替代線描的隱現手法。如那圓形大頭光上，只在鮮紅色底上，再點壓同色系列較暗的紅，以及女性豐潤顏面，至胸腰、至雙臂、至結跏雙腿，完全採以快速一氣呵成的平塗且兼以留底劃壓的手法，看上去頓感有如現代藝術的強烈表現。

圖 19-5　**左下三尊像的脅侍菩薩**（〈觀經變相圖殘片〉局部）

紋樣，形成有規律地緊扣著。與此同趣的，即是葉尖鼓起的纏枝紋樣，可見於唐中期的敦煌第 148 窟（《敦煌壁畫》圖版 168）。再者，此亦與唐代碑石浮雕上的纏枝紋樣極為類似，然而在此鋪畫作上，此紋樣卻是以單色表現在垂直面上，想必這是為了要表現支撐隔壁高台而做的浮雕。

在壁畫上，雖說可見到類似的纏枝紋樣，但就整體的式樣而言，仍留有好多的疑問？若與其他的絹畫作比較，輪廓線的顏色極為醒目。例如，臉的輪廓線可知是紅色線，而頭光及其他處，卻使用了罕見的新穎紋樣。因此，第一個疑問便是有關輪廓線的顏色，目前這些殘片保存狀態之好令人驚訝不已，多少是可以作為說明的。從畫作看，墨色的打底描線，今天幾乎完整的隱藏在其上所塗的色彩中，然而即使是如此，與其說是中土的還不如說是中亞的表現跡痕。光背的色彩也極為豐富，正如圖 19-4 所圖示的，觀音的頭光，就是以顏色相重的帶狀做出層疊狀的三角形，而另一脅侍的頭光則以紅橙色打底，點上飛散著紅色斑點。再者，主尊以外的三尊像頭光，大多為右旋的渦狀，而敦煌一般常見的波形卻在頂部取以兩側平衡的對合。

顏面的表現，若作一詳視，可發現其輪廓線，從額到顎毫無停滯地以舒暢曲線一口氣勾勒而出。嘴的部分，僅僅點上如薔薇花蕾般的紅點，看不到墨的勾勒。眼睛則是上眼垂下，因而眼角成一銳角，令人感覺稍帶高傲之感。這些表現多多少少，不敢說是決定性的令人可窺得與伯孜克里克所攜來的壁畫有相互關聯。其中，特別值得注意的，即小小的唇角、肥胖的眼臉、豐富又明亮的色彩、清楚又方向一致，然而卻是形制不完整的頭光紋樣（參見 Andrews, Wall Paintings, Bezeklik, shrineiii, pl, XVII）[1]。但這樣的特色，並非暗示此鋪畫作為敦煌以外之地所製作的，反而是很清楚地道出這是中土繪製的。正如外側題榜上所記的文字，可發現極近於已出現過的唐代寫經本，即唐代 8 世紀的書體。然而，此鋪畫作正如唐代纏枝紋樣的純粹中土式表現，受到了其他區域的極大影響，故知應是屬於敦煌美術的另一流派。

最重要的線索，正如同於其他作品的，恐怕是外側邊緣上，特別是左側的「頻婆

圖 19-6
下方右側菩薩
（〈觀經變相圖殘片〉
局部）

娑羅故事」（圖19-7）所見到的吧？最上段為表現「阿闍世王前世之身」的仙人，站立在棲隱的草庵之前。此座草庵是以茅草做成的圓錘形小屋，而門口是紅色小枝編織的組合框架。其旁有棵樹，草庵下方到山谷有彎彎曲曲的山巒，正顯示出一道相隔的邊境之地。這個場面的山勢，到下一面，即仙人之魂變為白兔，自頻婆娑羅逃出的場面，以及峭立的山勢，都是塗以褐色，再以好幾條長線以顯現其山巒，可謂是極

為寫實的表現。在這二個場面的境界和小小高突起的岩棚上都塗以綠色，而且連山的稜線和突起部分，和草庵旁的大樹表現，皆為相異，是一覆蓋的綠色樹叢表現法。這些美麗的樹叢，第一、二景都以墨線表示樹幹，與地面成垂直地、細細地描繪上幾條，然後刷上尖的圓筆，顯現出較其稍稍寬廣的線條。樹幹並不止於墨，還有紅褐色的描線。在風景的細部上可見到這麼用心的表現，就敦煌言，至少是 8 世紀時的特色（參見 Chinese Landscape Painting, p. 149，第 209 窟）〔2〕。又，下邊即頻婆娑羅和韋提希夫人被幽禁的牢房場面中（圖 19-7、19-8），可窺知這位畫家對家屋內側、外側的區別有一道手法。依此觀之，承繼上述二道場景，聽聞說法的二人正站在家屋的裡側，而下邊牢房獄卒則站在空地的外頭。外側緣上的屋頂鴟尾，反覆同樣的表現（但淨土圖左方的立佛三尊像上方的大屋頂，卻與此相異，而其青色的鴟尾裝飾著，像有孔珠的小眼和如大鷺般的鳥嘴）。建築的內側與外側，正確又清楚的描出。為了從阿闍世王的手中救起韋提希夫人，二位大臣月光和耆婆（圖 19-8），一人拔刀，一人正揮動著，場面非常躍動逼真，令人感受到中土式的動態之勢。

　　這樣看來，此鋪是從敦煌所攜走的絹畫中其時代應是稍早期的，與其說是 9 世紀初期，還不如說是 8 世紀後半，較為正確。不過還有一點重要的疑問尚未解決，即此鋪畫作雖然斷痕累累、支離破損，但保存狀況卻較其他畫作好得多。雖說找不到明顯的損傷，甚至連邊緣磨損極為厲害的部分，也幾乎如同原來一般。三幅的絹布一定是接合聯繫在一起的，但是接縫的沿口也不見損傷的痕跡。若看看每一斷片的斷裂方法，其切口似是從觀音勢至，甚至其下三尊中的佛等，主要尊像的顏臉之上動手（圖 19-4、19-5）。再者，主尊的部分完全消失，側的卻還留下不少。從以上種種線索，此畫作在被納藏到藏經洞之前，可知已被故意地割裂了。總而言之，此鋪畫作極為優異明豔，雖已被切割至零散，但就敦煌一般所被理解的圖像中，它就是所謂的西方淨土圖像表現。

註 1：原書名：Andrews; *Wall Paintings of Buddhist Shrines in Central Asia.* 1948.
註 2：原書名：*Anil de Silva; Chinese Landscape Painting.*

圖 19-7　左外邊條幅上方「頻婆娑羅故事」（局部）
（〈觀經變相圖殘片〉局部）

圖 19-8　左外邊條幅下方「頻婆娑羅故事」和「十惡
人故事」（局部）（〈觀經變相圖殘片〉局部）

唐代／吐蕃期 8 世紀末
〈維摩經變相圖〉

　　此鋪〈維摩經變相圖〉（圖 20-1）為敦煌繪畫常見的主題之一，即基以《維摩經》的〈文殊菩薩問疾維摩〉及其一連串問答的表現。漢譯《維摩經》有數種版本，然而此鋪畫作是依鳩摩羅什的 406 年譯本。斯坦因攜走的畫作中，共有三鋪〈維摩經變相圖〉。此鋪與五代 10 世紀中期僅表現文殊的〈維摩經問疾品〉（第 2 卷圖 53-1），原本都是完整的構圖。然而，唐代 9 世紀的紙本墨畫〈維摩經變相圖〉（第 2 卷圖 53-5、53-6、53-7），已經斷裂成好幾幅作品。事實上，不止於敦煌壁畫，雲岡、龍門等，皆可見及維摩經盛行中土的種種證明，但基於在其他譯本的絹畫和紙畫已找不到了。因此，此鋪畫作雖是傷痕累累，但卻也是特別重要的作品。

　　大部分的〈維摩經變相圖〉，區以二部分來描繪，像前述的二鋪作品亦是。敦煌是壁畫，幾乎是在洞窟入口的兩側，即左側壁為維摩，右側壁為文殊的配置表現。這種配置恐怕是利用入口的狹小壁面，而窟內的主要壁面則是配以〈淨土圖〉，同時為了信徒，就在適合的某處就準備了特別的畫題，以滿足兩方信眾。但正如此鋪絹畫，在一幅畫面上兼具了兩面題材要素。像這樣的，在壁畫上，至少有二鋪範例（松本榮一，《燉煌畫研究》圖版 46；《中國石窟，敦煌莫高窟》第 3 卷，圖版 61 的第 335 窟）。

　　維摩與文殊的問答，就在畫面中央那座毘離耶城的紅磚城壁前（圖 20-1）盛大舉行。左側所繪為維摩在有屋頂和布簾的臥床中（圖 20-2）。維摩面向文殊，悠閒地盤

圖 20-1　**維摩經變相圖**　唐代吐蕃期（8 世紀末）　絹本著色　140.0×115.5cm　Stein painting 57. ch. 00350

圖 20-2　維摩、吐蕃王及侍者（〈維摩經變相圖〉局部）

圖 20-3　左上方的說法佛（〈維摩經變相圖〉局部）

圖 20-4
文殊菩薩及眷屬
（〈維摩經變相圖〉局部）

圖 20-5
吐蕃王及其側近們
（〈維摩經變相圖〉局部）
敦煌第 159 窟東壁
《敦煌壁畫》圖版 175

腿坐著，左手大多倚著，持著扇子。文殊則坐在須彌壇的蓮華座上（圖 20-4）。須彌壇
前面的框格間上，描有同於前述的五代 10 世紀中期那鋪絹畫上的獅子（第二卷圖 53-3），
然而相對於那整齊蹲踞的獅子，此鋪所表現的則是步行的身形，稍有些擠出框格邊。

　　維摩和文殊的下方，除了種種的四天王和眾多菩薩外（圖 20-7），亦聚集了欲聽聞
大法而來的王者和其侍者。其中，畫面左方諸像（圖 20-2）很清楚的就是泰普（吐蕃王）
和其側近們。這位王者的穿著看似像折疊好幾重的寬幅衣襟，且有長袖的禮服，頭上
纏繞有泰普的頭包。其後有侍者撐著傘，前有二位頭纏頭包、身穿毛皮，著長袖衣服

20-5

的先導人物。此人物類似伯希和攜走的〈勞度叉鬥聖變畫卷〉上所登場的人物。再者，
亦可與有吐蕃期紀年的敦煌第158、159窟壁畫上的吐蕃王（圖20-5）作一比較（Karmay,
Tibetan Costumes[1]）。其他的側近們，令人想起8世紀初西安近郊的李賢（章懷太子）
墓壁畫上所描繪的外國使節服裝（《唐李賢墓壁畫》，圖版25）。

　　畫面上方（圖20-6），即毘耶離城的城壁上繪有依據《維摩經》另外章節的場面。
中央坐著有隨侍菩薩的如來，其前有五位戴有三山冠（顯示高貴身分）的男子，各捧
持天蓋跪著。《維摩經》的〈佛國品〉記有，毘耶離城的長者寶積，隨著五百長者一
起供養佛；因此，這是五百人的表示吧！詳細地觀察，上方這些圖像，即在左右兩端
的小立像，知是乘著自維摩右手升起的雲彩，這個想必是維摩問答中的一個奇蹟表
示。左方有與日月齊併的須彌山和緩緩降下的三個獅子座（圖20-3）。這即是維摩為
了會眾，以法力使其出現三萬二千獅子座的表示。右方佛前有三個盛香飯的缽。即是
替代維摩的九百萬菩薩所帶來的。

　　此鋪畫作，畫家最關心的似是在《維摩經》圖解的面向上，因而繪畫的藝術性幾
乎不為其考慮。色彩的數量相當設限，幾乎所有的圖像有如蓋戳子一般，取以傾斜的

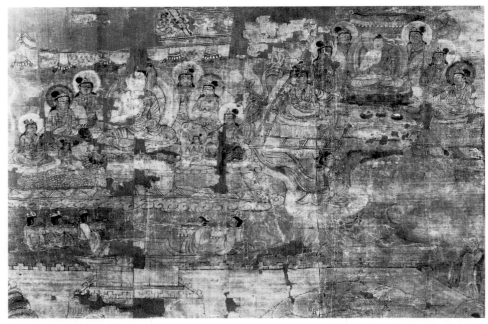

圖 20-6
維摩經變相圖的上方
（〈維摩經變相圖〉局部）

圖 20-7
維摩經變相圖的右下方
（〈維摩經變相圖〉局部）

面向姿形。顏臉圓形，髺髮幾乎以圓塊狀表示（相似的表現，可見於伯希和圖錄，《敦煌幢幡

和繪畫》篇，圖版 20，以及居美美術館的〈觀經變相圖〉）。整體表現劃一，幾乎沒有什麼差異，

因此對眾像取以群體的眺望時，反而更為清楚。

註 1：原 書 名：Heather Karmay, *Tibetan Costumes, Seventh to Eleventh Centuries, Essais sur l'art du Tibet*. Paris,1977.

唐代／9 世紀〈勞度叉鬥聖變〉

此鋪〈勞度叉鬥聖變〉（圖21），雖然只是長篇故事中的二個插畫，但卻是以文學領域中所謂的「變文」為素材所表現的一幅極為有趣的畫作。一般所謂的變文，即是以俗語方式寫出經典的內容，有如演戲的腳本之類；當有人布施僧侶時，僧侶便以變文來演講，做為回饋布施者的「回禮」之用。與此相對的，有所謂的「變相」，即是將經典內容圖像化或繪畫化，除了當下所見到的絹畫外，還有極多的遺例是在石窟壁畫上的。

佛弟子舍利弗和勞度叉首領的比試，是中土以和闐地方的故事為根源所編纂的，輯錄於《賢愚經》。此則圖像化的故事中，最著名的就是被伯希和攜走、現藏於巴黎國立圖書館的卷子本。此卷子做成畫卷形式，相關的文章註記於各個場面的卷子背後旁，因此當僧侶展開圖像畫給觀眾看時，便可從背後讀出注記的文稿，十分方便。這鋪卷子，卷頭的序文雖有若干的缺失，但是六篇比試的插畫全都收錄。

此鋪作品僅表現其中的二篇插畫。右上方繪有一頭象站在蓮池上，而在下方勉強可認出來那是勞度叉的形樣。整幅畫作即是描繪以幻術湧現出池水的勞度叉，被舍利弗以奇蹟誕生出的大象，瞬間吸乾池水，驚嚇得雙膝落地，馬上就要暈倒的樣子。左上榜題中的文字為「口池中生千葉寶華」；右上的榜題，其左行可讀出為「見弗家象入池」。

圖中有鋸齒狀邊緣線做成的池子，畫面的左下方是最後一段的插畫，即勞度叉完全敗北，正朝著地面墜落的描繪。就中「……出仰倒時」的榜題，即是指此。看那扭曲的體軀，不僅充滿躍動的張力感，而那伸張開來的手腳表現，彷彿金剛力士像的再現，在

圖 21
勞度叉鬥聖變
唐代（9 世紀）
絹本著色
63.5×46.7cm
Stein painting 62. ch. lv. 002

勞度叉掉落的下方，依稀可見到以墨線描繪的山間河流上，有吃著草的鹿和樹林的風景畫。這些景致描得極小，似乎與畫面的主要部分無關，然而卻又是一道顯現主角巨大效果為目的的有意識表現。若依故事來看的話，最後的比試即勞度叉變成巨大的夜叉之形，舍利弗卻以反覆的奇蹟變化，以及佛顯現的舍衛城大神變，才使其敗退。

　　絲綢的狀態，很明顯已是殘片，但是從最先的插畫（第二場比試）和最後的插畫，描繪在一起來看，可發現原來並不是將所有插畫完全描繪在大畫面中的一部分。這幅畫也許是其中的完結部分吧？此鋪絹畫，很清楚地無法下至 9 世紀之後，特別是，秋山光和教授視此鋪為「勞度叉鬥聖變」的最早範例，故推定為 8 世紀中葉或後半之際。

22

唐代／8-9世紀
〈靈鷲山釋迦說法圖殘片〉

　　此鋪〈靈鷲山釋迦說法圖殘片〉（圖22-1）的主題，在敦煌非常珍貴，僅在石窟壁畫上見到一例。主尊為立佛，然而只殘留下右腕。圖中所見，以墨線為輪廓再敷以暈染的橙色，看起來金碧輝煌，而且手腕筆直垂向下方，手掌張開，手指清晰完整。這幅畫作，令人想起另一幅表現釋迦於《法華經》所宣說的靈鷲山說法的刺繡大作（圖7-8）的表現。再者，從背景上描有岩山，空中亦有飛鳥，天蓋上方的山頂還佇立著禿鷹（圖22-7）等來看，可確認此畫作是表現著同樣的主題。

　　此鋪殘存的部分，不及於整體的四分之一，然而從比丘頭部正後方，絲綢的接縫縱向走勢來看，畫面的整體構成，只不過是個推測而已。站在佛旁的這位比丘（圖22-3），依魏勒之述，大概是舍利弗吧！依慣例看，畫面的中心是整塊的絲綢絹布，而兩側則接以半幅寬的絹布，當初應是極其美麗的。畫面中心的立佛，全身施以橙色的暈染，四周圍起華麗的身光和火焰光，從表示靈鷲山的暗沉背景岩山中清晰地淨現起來。佛的兩側各有一尊弟子，再者，在兩側的外側一定還有故事圖。這樣豪華的一端，可從比丘站立的華麗蓮華座裝飾中窺知。歸之，整體的描繪是以青色、橙色為主調。

　　主尊的形象，雖可參考一幅亦是唐代8世紀的〈靈鷲山釋迦說法圖〉（圖7-8），一幅小型〈佛立像〉（第三卷圖2）刺繡作品，以及新德里國立博物館藏唐代7-8世紀極大幅的〈釋迦瑞像〉（第二卷圖11）上所見到的靈鷲山釋迦說法圖，但是兩側的故

圖 22-1　靈鷲山釋迦說法圖殘片　唐代（8-9 世紀）　絹本著色　95.9×51.8cm

Stein painting 20. ch. 0059

圖 22-2　**故事圖中修復佛頭的場面**（〈靈鷲山釋迦說法圖殘片〉局部）

事圖，卻是有必要調查一下千佛洞的壁畫。正如前述的這些故事圖，不止於左側，右側亦有。其中最為引人注目的即是左手持衣，右手向下筆直垂伸的佛立像，一共出現了二次。一尊在左下（圖22-2），由搭架的鷹架圍起來，而且有二位男士攀登到佛像頭部附近，另一尊（圖22-6）即是右上附近，在城壁外側的單獨立像，其旁站有一位伸起左手指的比丘。

　　這樣的故事圖情景，可從敦煌第72窟南壁上方，一連串記載場景說明的榜題壁畫中得到解答。此壁畫中央為極多聖眾圍繞的釋迦，左右為山水表現，其中有好幾尊大大小小的各種佛像。然而與我們所要討論的有關問題，主要是在右半所展開的情景。右半壁畫的左上，首先可看到最初的佛像（參見羅寄梅：No.072-7）。在此場面的說明文中，記有「鐵像從印度來現時」。在它右側，有一尊較原先佛像大卻無頭部的佛像，但是卻伴隨有佛弟子和飛天，說明文上記有「聖容像杌下去頭時」。場景的中間左右，此尊佛像就被鷹架圍繞起來。一男子攀上梯子，在鷹架上也有二位男子。而鷹架上方有四位男士，正支撐著稍稍傾斜的佛像頭部。在說明文中記有「卻得聖容像本頭安置仍舊時」。

　　壁畫的右上方亦可見到好幾尊佛像，而且各尊像還有說明插話的榜題，其中特別醒目的，就是上述的三個場面。此鋪殘缺絹畫，上有二位男子攀登到鷹架上修復佛頭的作業，可發現即是插話故事中發生事件（圖22-2）的主要場面。再者，還有幾個類似的表現，亦可從壁畫中探知。例如在絹畫的鷹架正前方，有青色屋頂的建物，亦可在第72窟的壁畫上見到，而且其後記有「羅漢見聖容碑記時」。

　　非常遺憾的是，照片中壁面的下半全部都模糊，僅能看到一尊佛像，因此無法與此鋪絹畫的其他場景做一比較。但在絹畫上可見到二尊拿著圓輪圈，乘著雲的雷神（圖22-2、22-9）和有騎馬人物的一隊士兵（圖22-8）；其上有騎著騾馬的僧侶和一頭象，象背上馱著一捆捆推起，似是經卷的黃色捆包之物（圖22-6）。事實上，這幅絹畫中央所描繪的說法佛，不僅與大乘的最重要經典《法華經》有關，周邊的各個圖繪亦與自印度東漸而來的佛像和經典有關。

圖 22-3 **比丘**（〈靈鷲山釋迦說法圖殘片〉局部）

圖 22-4 〈靈鷲山釋迦說法圖殘片〉（上圖，左下方為雷神）與被視為構成其中一部分的〈居美美術館殘片〉（下圖）

圖 22-5 居美美術館的靈鷲山釋迦說法圖殘片

圖 22-6　**左上方的故事圖**（〈靈鷲山釋迦說法圖殘片〉局部）

　　當寫完上述解說時，正巧得以訪問布札爾，得知被認為是此鋪絹畫上部分的重要殘片（72.0×28.0cm）。羅伯特·傑拉·貝札爾（M. Robert Jera Bezards）看了此鋪絹畫，馬上想起在伯希和收藏中有一鋪同樣色彩系統的殘片（參見伯希和圖錄，《敦煌幢幡和繪畫》篇，圖版25）。這鋪有問題的殘片，所表現的為一尊跪在香爐前的菩薩（圖22-4、22-5）。若依解說可知，香爐位在主尊下的位置，事實上，色彩豐富的蓮華座上，二瓣蓮瓣的尖端，在上方僅能見到一點點。又，此鋪殘片描有一隊樂人、二隊拿著旗子的

圖 22-7　右上方的故事圖（〈靈鷲山釋迦說法圖殘片〉局部）

騎馬人物、五位比丘和其附近站著似是有權力者的人物等，以及很多小小的像。這樣的人物和背景的山水表現，雖可窺得與斯坦因收藏的此鋪圖繪有關，但是最為引人注意的，即是描繪在跪著菩薩之前的佛頭。此佛頭以綠色描繪，夾在二棵樹之間，擺在一個長方形的台上（絹畫的原圖，事實上，色彩幾乎剝落不存，佛像的顏色令人覺得是金屬的質感）。伯希和收藏的殘片，一定是描繪同樣故事的另一殘片，而且毫無疑

圖 22-8　**左側中央的故事圖**（〈靈鷲山釋迦說法圖殘片〉局部）

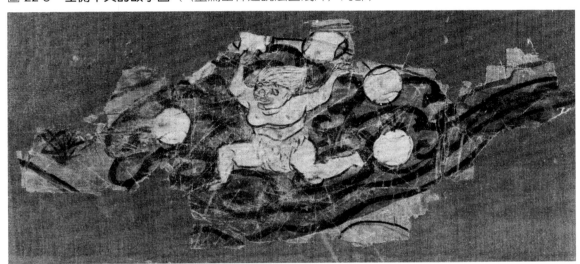

圖 22-9　**左下方的雷神**（〈靈鷲山釋迦說法圖殘片〉局部）

雷神與風神常為一對，起源於各地古代人類的自然神崇拜信仰而來的神格化之神。依經軌得知，雷神為半裸形，手鳴成輪狀形的小鼓，自古列屬於千手觀音的二十八部眾之一。再者，雷之霆聲足以雷除天敵，故也常為一般建築物上所裝飾，以除天然災害。此鋪雷神圖，因屬殘片，且殘片四周也未見有任何建築物，故不知其畫之目地何在？又，本圖不屬千手觀音的密教系統，但卻是目前所知 8 世紀的一幅稀有珍品。

問的，菩薩像正是幾乎位在原圖大比丘像的正下方，正好可以接起來的地方（圖22-4）。

從上述來看，全圖可推測為縱長 170 公分，橫寬 120 公分以上，即使無法達到敦煌第 72 窟所見到的整個故事場面，然其場面卻也可觀！

23

唐代／咸通五年（864）
〈四觀音文殊普賢圖〉

　　近年，因前述的唐代吐蕃期丙辰銘（836）〈藥師淨土圖〉製作年代的判定（圖16-1），使得此鋪〈四觀音文殊普賢圖〉（圖23-1），成為斯坦因蒐集的敦煌畫中最早有紀年的作品。絹畫的主題，即是證明敦煌最為人氣的文殊、普賢及觀音。菩薩之名，可從各個榜題中記述的尊名而確認，若是沒有榜題，想要識別上段的四尊是不可能的。例如右起第三尊，雖記有「大悲十一面觀世音菩薩」（圖23-4），卻與其他三尊像雷同，寶冠中皆有一尊化佛。儘管如此，菩薩似乎對每一位供養人，皆引起特別的信仰心，因此供養人可在榜題的空白處填記上自己的名字。例如，前述的榜題在「大悲十一面觀世音菩薩」下有「清信佛弟子唐」的註記。

　　上段四觀音身上所穿的衣裳和裝飾品，雖是適應中土喜好而加以變形，但是卻是印度式的。特別是夾靠兩側的赤色粉紅衣襞，左右相稱地垂到腳邊的長裙，即是典型之例。與此相對的，即下方的文殊、普賢的衣裳，卻是完全的中土式（圖23-2、23-3）。眾多的圖像中，特別是捧持著三重傘蓋的脅侍菩薩，在顏面、手的色彩底下，很清楚地有打底的墨線，尾端鼓起又微微上翹的嘴唇線（圖23-5、23-6）和眉毛、鼻子等的線，是在色彩塗完之後再描以濃墨。然而這種線，如打底線之類的，幾乎毫無例外地，欠缺自然的動勢與速度，但是卻形成重視輪廓調子所形成的謹慎運筆之勢。從兩肩垂下的黑髮，亦是後來濃濃地塗上，因此在輪廓上可發現到打底線。

圖 23-1　**四觀音文殊普賢圖**　唐代咸通五年（864）　絹本著色　140.7×97.0cm　Stein painting 5. ch. ir. 0023

圖 23-2　普賢菩薩（〈四觀音文殊普賢圖〉局部）

圖 23-3 **文殊菩薩**（〈四觀音文殊普賢圖〉局部）

圖 23-4　十一面觀音（〈四觀音文殊普賢圖〉局部）

圖 23-5　普賢的左脅侍菩薩（〈四觀音文殊普賢圖〉局部）

頭光使用好幾種基本型，上段的各尊像，以波狀彩虹紋頭光和雙雲捲紋頭光交互使用。同樣的雙雲捲紋，亦為下段兩側的菩薩立像（圖23-5、23-6）所使用，內側菩薩的綠色頭光，是重疊對合的花瓣紋。又，同樣的紋樣亦可見於文殊和普賢的身光中心部分。文殊和普賢的頭光亦是雙雲捲紋，然而身光的外緣卻是另外一種，即如劍尖之類的尖尖紋樣（圖23-2、23-3）。此鋪畫作，整體保持極為舒適恬靜的左右相稱性和統一感，上段的四尊像蓮華座，左右的二尊為仰蓮，而中間的二尊為覆蓮，相應對照地表現，頭光的紋樣以穩定的曲線和渦捲組成，此正與其後時代連小菩薩亦變成幾何學紋樣和尖尖紋樣的頭光，成一明顯的對照。

畫面的最下段（圖23-1）描有供養人，右為比丘和三位俗樣的男子，左為二位比丘和二位婦人。中央圍起的框框中，有自右至左的直式撰寫，且有紀年的銘文。即：

一為當今皇帝二為本使□

二為先亡父母及合□□□

三為之災障□□

咸通五年□

圖 23-6
文殊的左脅侍菩薩
（〈四觀音文殊普賢圖〉
局部）

　　此銘記和寫有各個名字的供養人，被描繪在最下段細長帶狀的空間上，而且以紋
樣飾帶和其上的畫面作一區隔。瑪利・鳳（Mary Fong）博士曾將此與 9 世紀後半的
敦煌第 85 窟（867）、107 窟（872）的壁畫供養人作一比較（博士論文）。正如魏
勒曾述及的，其中仍須注意的即婦人們髮上僅插一支櫛，與之後作品常見的笄等，已
完全不再使用了。

24

唐代／9 世紀中葉左右
〈二觀世音菩薩像〉

此〈二觀世音菩薩像〉（圖24-1）正是道出敦煌佛教徒之間，盛行觀音信仰的代表作品之一。圖像上極近於前述的〈觀世音菩薩像〉（圖13-2），但此中是二尊相同的菩薩，而且又有誓願記文（圖24-2），因此此鋪畫作清楚傳達了奉獻者的祈願。此鋪願文宛如鏡子照像般，位在二尊相向菩薩的中間，正當畫作的中心地。願文自身亦為二分，各自從中央的這一行開始書寫。頂邊的絹布因受損，故每行最上方皆有一、二字的缺字。左側上方也有一小殘片，其實那是右側上方的願文，因弄錯而移到這邊來，不過其大意還是可以讀解出來：

清信弟子溫義，即使落入吐蕃之手，

為了己身可以歸鄉便敬造觀世音菩薩，

一心供養。……憂婆夷覺惠亦修觀

世音，第一欲祈亡父母神生淨土，……

（避）三道，承生淨國，早登佛界，一心供養。

左半的願文，亦是自中心起共收錄五行，大意如下：

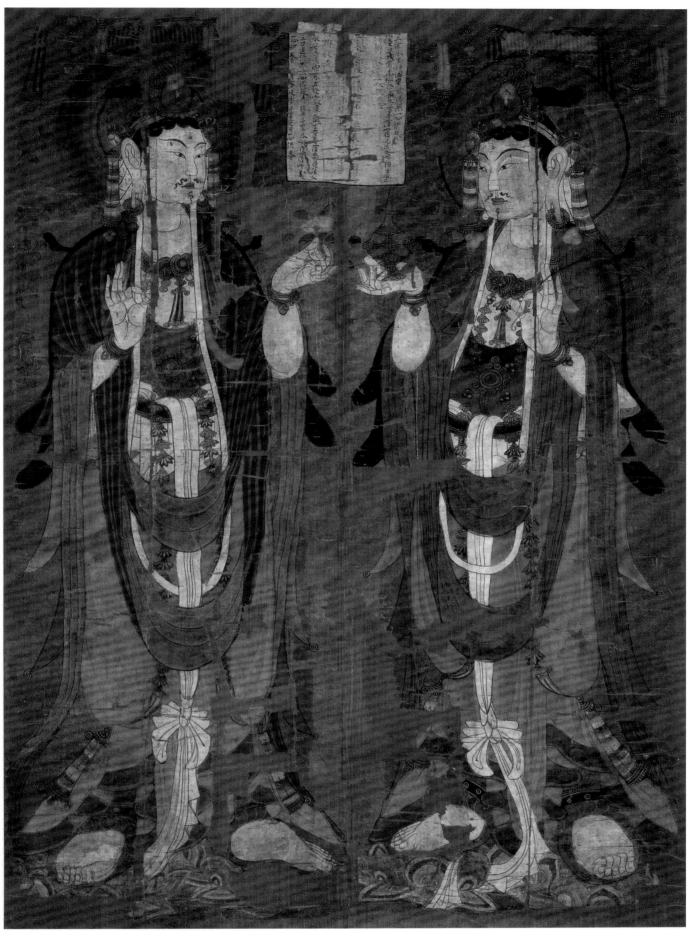

圖 24-1　二觀世音菩薩圖　唐代（9 世紀中葉左右）　絹本著色　147.3×105.3cm　Stein painting 3. ch. xxxviii. 005

清信弟子義溫，即使落入吐蕃之手，

為己身可以歸鄉便敬造觀世音菩薩，

一心供養。……永安寺的老宿慈力，

發心為亡父敬畫觀世音。……（三）早

入佛界，一心供養。信弟子男永安寺

律師義溫，……一心供養。信弟子兼

伎術子弟董文亥一心供養。

　　全文行數並不完整，又有缺落之字，確是難解，但是依其記述還是可以明瞭幾件事實。即二尊菩薩各有不同的供養名字，而且在前二行以大字記下，接著其後右側二行，左側二行以小字記下。此可視為主要的供養人和祈願以大字來記，支援的供養人和祈願，以其次之序記在左右吧！主要的願文完全相同，而供養人（右半為溫義，左半為義溫）似是同一人。

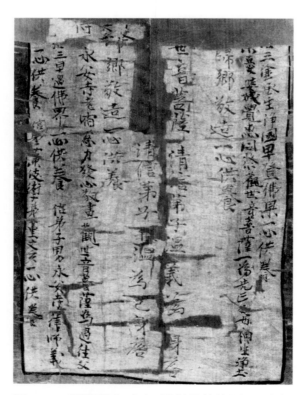

圖 24-2　**祈願銘文**（〈二觀世音菩薩像〉局部）

　　正如向藤枝晃教授請教之後，始知「落」字可見於此地為吐蕃統治時期的各個石窟銘文上，故兩者都與「蕃」一起結合地使用。因而很清楚當時中土人士「歸鄉」的心境祈願，是不要再生三道（畜生道、羅剎道、餓鬼道），而願再生佛國淨土，以慰亡父母的供養用語，優先地成為主要的祈願文字。

　　依藤枝晃教授之說，此畫作當然是在中土收歸統治權之前，即 781-847 年之間製作的。事實上，從式樣上的觀點

圖 24-3　左側觀世音菩薩（〈二觀世音菩薩像〉局部）

來看，亦正相吻合。二尊菩薩為七三結構體式，除了鼻形等細部表現外，持物和自肩垂下的天衣顏色，皆相迥異，再者，宛如鏡子照像般，互相作對稱式的相向面對的影像。兩尊像的腳都稍大些，且緊緊地踏在蓮瓣上，但是腰部卻僅僅向前方扭曲一點點。在描法上最為引人注意的，即是肌膚塗繪的暈染技法，和顏面細部以細墨線作的精密描寫。此與前述的 8-9 世紀中期左右的〈觀世音菩薩像〉（圖 13-2），非常近似，但是垂掛頸部的裝飾白色細帶子顯得有些僵硬，顏面上的描線亦有幾分僵化，故此絹畫上的菩薩，在時代上是稍後的。

二尊像因是並列，故很容易被認為是二幅橫的絲綢並排起來的，事實並非如此。畫面中央雖有皺起折到的損傷，然而絲綢的縫合方法，完全同於其他同樣尺寸的方法，即畫面中使用一幅絲綢，左右再縫上半幅寬的絲綢。為了保存，裱褙時左邊的像被貼得較高些位置，然而原來雙方的手是同樣的高度。故左側像所持的黃色花和葉，應與右半部中央所見到的殘片，是可以對合起來的。又，此鋪祈願文，今列記如下：

|温|一心供養　信弟子兼伎術子弟董文員一心供養
|□□三早過佛界一心供養　信弟子男永安寺律師義
|□□永安寺老宿慈力發心敬畫觀世音菩薩為過往父
|番得歸鄉敬造一心供養
|觀世音菩薩清信弟子義溫為己身落
|番得歸鄉敬造一心供養
|觀世音菩薩清信弟子溫義為己身落
|□□優婆姨覺惠同修觀世音菩薩一為先亡父母神生淨土
|□□三塗承生淨國甲（早）登佛杲（界）一心供養

圖 24-4　右側觀世音菩薩（〈二觀世音菩薩像〉局部）

25

唐代 / 9 世紀〈景教人物圖（局部）〉

圖 25-1　**景教人物圖**　唐代（9 世紀）　絹本著色
88.0×55.0cm　Stein painting 48. ch. xlix. 001

　　此鋪〈景教人物圖〉（圖 25-2）
正如好幾幅菩薩像中所見到的，採取
稍稍前傾的姿勢，右手的動勢亦類
似，但極為有趣的一點，是它的主題
為表現基督教（也許是景教）的聖者。
十字架的上端寬廣，似是鑲有玉飾，
在頭冠上和頸飾下都有一座。左手持
著長杖（圖 25-1）；右肩有紅色肩套，
其裡為黃色，並穿有綠色的衣服，然
而顏色已褪，變成與背景絹色極為相
近之色。

　　其次，擬以二個小特徵說明此鋪
絹畫為 9 世紀之作。頭光施以細細的
火焰，還有上下唇對合的墨線，在兩
端有微微反翹捲起。顏面的表現，若
細細地檢視，鬍鬚相當的細密，下巴
鬍子薄而帶茶紅色，這與前述 8-9 世

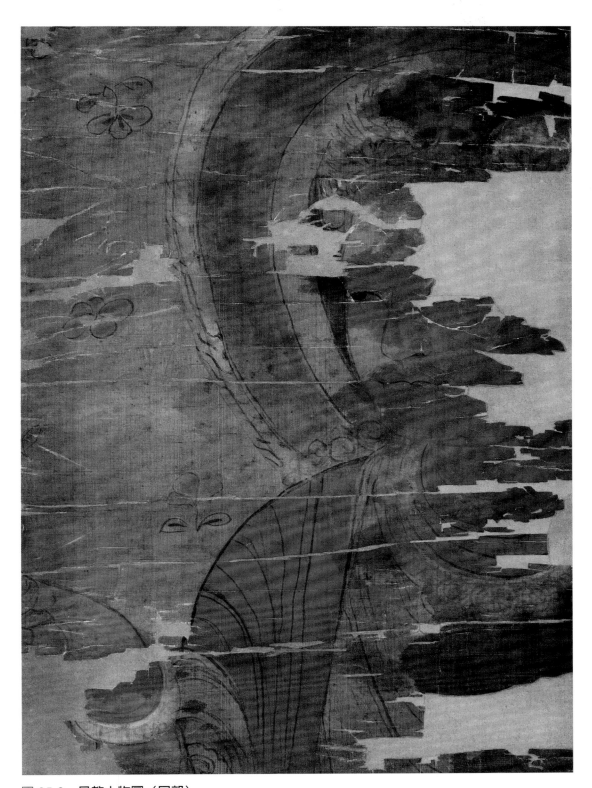

圖 25-2　景教人物圖（局部）

紀的〈觀世音菩薩像〉（圖13-2）見到的，通常是綠色的表現迥異，這一點正道出這
是基督教的聖者。

26

唐代／大順三年（892）
〈大悲救苦觀世音菩薩像〉

　　此鋪唐代大順三年（892）的〈大悲救苦觀世音菩薩像〉（圖26-1）極具平順穩定之感，令人意識到有滙聚下段描繪的肖像，即供養人們的意向。從藝術性來看，此畫作至多只是中等的層級，但是對供養人而言卻是極度的滿足。此畫作留有夾纈染的邊緣花紋圖案裝飾，在上方的左側標題上寫有向救苦觀音「一心供養」的修辭文獻。華蓋四周有二尊捧著華盤的雲上菩薩，以及纏繞絲帶的樂器（圖26-2、26-4），令人想起唐代8-9世紀的〈觀經變相圖殘片〉等的淨土圖（圖19-4）。此鋪觀音寶冠上戴有化佛，額頭上有第三隻眼，且坐於蓮華座上，然而卻乘坐於擺在池外側的三腳基壇上（圖26-1）。蓮池上有繁茂的長莖花葉，莖端開著美麗的花朵，立在兩側圍繞著正中端坐的菩薩。

　　下段銘文，除了大順三年（892）的記年和供養人沙門智剛、尼勝明外，還記有此鋪畫作是為供養已故比丘尼永代而奉獻的。上述的二位供養人身影，可見於銘文的兩側，比丘沙門智剛右手持香爐，尼勝明雙手捧盤。比丘尼之後還有二位比丘尼，而比丘智剛之後還有世俗的男子與婦人（圖26-3）。從這像的供養人，可發現不少有趣的特色：例如婦人的髮型，除櫛外，還插上一支笄，這是9世紀初期供養人極為簡單的髮飾，到10世紀便盛行改用長笄，使髮飾更為豪華。再者，供養人的姿勢亦有變化，早期的作品，供養人的兩手是輕鬆自然地放在膝上。如唐代8世紀〈樹下說法圖〉

圖 26-1　**大悲救苦觀世音菩薩像**　唐代大順三年（892）　絹本著色　83.3×63.1cm　Stein painting 28*. ch. xx. 005

圖 26-2　右上方的雲上菩薩（〈大悲救苦觀世音菩薩像〉局部）

（圖 7-7）和敦煌第 329 窟壁畫（《敦煌壁畫》圖版 126）等，然而此圖卻不是。代之而起的，是全體兩手置於胸前，以同樣的角度稍稍向後傾斜的不自然姿勢。早約三十年，前述的〈四觀音文殊菩薩〉（圖 23-1）供養人都是筆直地坐著，髮上亦無笄（圖 23-6）。就有供養人的畫作而言，此作是此卷的最後一幅，然而就供養人的衣飾而言，可發現外衣是褐色，與 10 世紀的供養人總穿著黑色外衣，內裡是黃色或白色，並未形成強烈的對比表現。

圖 26-3
銘文與供養人像（〈大悲救苦觀世音菩薩像〉局部）

　　今天全世界人類能看到敦煌所留下的傑作，可說絕大部分是得力於供養人的金錢贊助，無此供養者的出錢出力，是無法完成這麼絢麗壯闊的敦煌作品。由此可知，此供養人像的可貴。

圖 26-4　**左上方的雲上菩薩**
（〈大悲救苦觀世音菩薩像〉局部）

27

唐代／乾寧四年（897）
〈熾盛光佛及五星圖〉

此〈熾盛光佛及五星圖〉（圖27-1），不僅有紀年，而且是佛教美術主題中極珍貴、難得一見的代表作品之一。所謂的「熾盛光佛及五星」這個畫題與紀年，還清楚記在供養的銘記中（圖27-6）呢！

在經典中，雖可發現有九曜或十一曜的各種熾盛光佛記載，但實際保留下來的繪畫作品只有如下三例：即此鋪絹畫、敦煌第61窟洞口處的南壁壁畫（圖27-7），以及波士頓美術館藏的元代掛軸（Portfolio of Chinese Paintings，圖版21）[1]。敦煌第61窟洞口處壁畫極為著名，為北宋初期，即稍過10世紀中葉時製作的。畫中描有于闐的王女們、美麗的供養人行列和多數聖眾們組成的淨土圖及五台山（圖27-7）。又，天井上描繪的許多如來像，與其收藏的「紙型」有密切的關係。若依斯坦因的話，可知在構圖上、描線上的手法，這方壁畫是較該絹畫更熟練。但是此鋪絹畫在年代上及畫題的稀有性上，卻是一幅無可替代的極為貴重作品。

如將波士頓的掛軸作品與壁畫作一比較，可發現掛軸構圖較壁畫單純，圖面為主尊的熾盛光佛（圖27-3）和五星所構成，而且都乘載著雲彩。熾盛光佛放大光明，以象徵鎮懾惑星而來的不祥影響之力。依松本榮一博士的話，知五星的表現與《梵天火羅九曜》的記載，幾乎正確且一致（《燉煌畫研究》，頁338以下）。五星是以坐在公牛牽引車上的熾盛光佛，自左到右順起（第61窟的洞口，全體則是作一整齊的行列）。

圖 27-1　**熾盛光佛及五星圖**　唐代乾寧四年（897）　絹本著色　80.4×55.4cm　Stein painting 31. ch. liv. 007

圖 27-2　**木星像**（〈熾盛光佛與五星圖〉局部）

婦人之形，頭戴猿冠，手持紙和筆的「木星（北辰星）」（圖27-2）；官人之形，穿青衣、

戴豬冠，捧著花和果物的「水星（歲星）」（圖27-8）；婆羅門之形，戴牛冠，持錫

杖的「土星（土宿星）」（圖27-4）；婦人之形，戴鳥冠，穿白衣，彈琴的「金星（太

白星）」（圖27-5）；外道之形，戴驢馬冠，四雙手持四武器（矢、弓、劍和三叉戟）

圖 27-3　**熾盛光佛**（〈熾盛光佛與五星圖〉局部）

的「火星（南方熒惑星）」（圖27-9）。壁畫雖有損傷，但是除了五星和日、月外，還有印度天文學所使用的二顆隱而未見的星，即羅睺星和計都星，因此合起來確實有九曜。在行列的上方還有表現廿八宿的各個尊像，以及殘留下好幾個收納十二宮的其中各自一宮的圖形裝飾，事實上，在當初應是有完整的十二宮。

圖 27-4　土星像（〈熾盛光佛與五星圖〉局部）

圖 27-5　**金星像**（〈熾盛光佛與五星圖〉局部）

圖 27-6　**銘文**（〈熾盛光佛
與五星圖〉局部）

圖 27-7　**熾光佛及五星廿八宿圖**　敦煌第 61 窟洞口南壁　　《Serindia》vol II 圖版 215

　　牛車上方擺有祭壇，並列一套豪華的祭器。祭器以墨描繪，當初施有金彩。祭壇
四周圍有垂幕及有刺繡的桌布，而且一直垂到車輈中的公牛背上。熾盛光佛的顏面和
身體當初亦施以金彩，現今顏面的金彩是重新塗過的，眼和鼻等的線條也重新描過，
故較其他的像更為濃厚，表現得更新。特別是嘴角邊值得注意，隨著 10 世紀所用的
手法，作鉤形的描繪（圖 27-3）。其他的像，嘴角線是筆直的，兩端僅止微微翹起。
因此，此幅畫作可能是 10 世紀前半曾被加工過吧！畫作頂端留有紫色的寬絲綢緞帶，
此正道出此幅畫作曾被當作掛軸使用。頂端的絲綢緞帶現僅有 11.5 公分，若依斯坦
因的報告書《西域考古圖記》（*Serindia*）[2]，記有大約是 75 公分。這樣看來，當
初是非常醒目的，正如此幅繪作上所見到的，那是有意在實際行列中拿著行進的。

註 1：原書名：K. Tomita and H.C. Tseng, *Portfolio of Chinese Paintings (Yuan to Ch'ing
　　　　Periods), Museum of Fine Arts, Boston, 1961.
註 2：原書名：Aurel Stein, Serindia, *Detailed Report of Explorations in Central Asia and
　　　　Westernmost China*, 5vols, Oxford, 1921.

圖 27-8　**水星（東方歲星）像**（〈熾盛光佛與五星圖〉局部）

依經軌知，其佛身毛孔放大光明，首冠如五佛相，二手如釋迦，此即所繪熾盛光佛。此佛其力可折服日月星宿等諸天耀宿，是天變地異之際的修法本尊。中土於唐宋之際，大盛此信仰，且伴有五星；但其實樣一直無人知曉。《宣和畫譜》上有：「吳道元，今卸府所藏九十有三，熾盛光佛像」的記載。因而此幅遺品及敦煌壁畫上的，是目前全世界所知的兩幅，尤見此作之珍貴。圖中即是熾盛光佛的東方歲星，亦名水星，其像經載：「其神形如卿相。著青衣，……。」

圖 27-9　**火星（南方熒惑星）像**（〈熾盛光佛與五星圖〉局部）

此圖為一白牛拉二輪車。車上有如「行像」的熾盛光佛，其四周有五星圖；圖中正是南方熒惑星，亦名火星。依經載：「其神形如外道，首戴驢冠，四手兵器刀刃。」因為此佛統領日月星辰，故被描寫成放其熾盛光明，增其巡行大空威容的「車行像」。此「車行像」源自古西域一帶所流行的「行像」佛典儀式。但此佛與諸星所構成的行道圖，卻非意指行像之意。而《圖畫見聞誌》所記的熾盛光九曜等，與此圖像略有差異。

28

唐代／9世紀末〈標準幢幡〉

　　此二鋪〈標準幢幡〉（圖28-1），是敦煌幢幡中保存最好的範例，即幡頭、左右兩側幡手、幡足，以及最下端的懸板等，皆完整保存。

　　首先看左側的菩薩幢幡，這一畫像到底要比定為那個菩薩，確實不容易，只好暫時打住。此尊菩薩的表現，與大幅奉獻繪畫所表現的菩薩有極大的差異。事實上，從幡的組合結構來看，是一幅極為有趣的幡畫。全幅為一狹長絲綢，其上不只有尊像，兩側還有細墨所塗的邊緣，下邊有菱形連接的紋樣，上邊有稍稍波浪狀的紅色，是一種具有掛軸作用的框邊。白布所做成的三角形幡頭，當初是以不同的絲織布料縫製的，然而現在已消失不存。兩側斜邊粉紅色縫製成的三角形幡頭斜邊布料，和頂端的懸掛吊圈，是當初原有的。幡頭下邊，可窺見到竹子的木軸，當初以絲綢包覆著。這個木軸，以紅、青色絲綢相互向著相反方向斜斜地纏繞，讓幡身不會滑落地縫製起來，故可以當作心蕊來使用。幡繪的下端，也是用竹子的木軸來補強，其下垂吊起四條布料的幡足。幡足上，各以銀色描繪葉子和花蕾交相配的波浪狀花蔓。此四條幡足的底邊，在上方有作成一條溝並插上一片板子，再壓上竹片以固定。此片板子塗紅底再上銀色，作成中央描有花，左右配有葉子的紋樣。

　　兩側的幡手，由幡頭下邊的木軸固定住，因此對畫面多少遮到一些。然下端不用板子固定，可以使其自由地飄動。幡手上方為綠色。其下卻縫製上灰色的絲綢。在這本全集第三卷有收錄攜自敦煌的殘片類絲綢，不過這些殘片都是奉獻品嗎？或是其

圖 28-1

**幢幡（左菩薩像、右金剛
力士像）**

唐代（9 世紀末） 絹本著
色 左 172.5×18.0cm、
右 187.5×18.6cm Stein
painting 120. ch. 0025 Stein
painting 134 . ch. 004

　　此二幢幡，是敦煌遺
品中，目前保存最為良好
的實物。垂吊全幡的龍鉤
幡環、支提全幡的山形幡
頂，以及布滿內容的幡身、
隨風飄揚的幡手，無一不
備，實是研究幢幡飾物，
從印度傳至中國變遷史的
最好素材。幢幡人物、一
菩薩、一金剛、一正身、
一背身、一豐柔、一剛魁，
雙雙露神相視，實是大唐
藝術家的巧思創作。人物
用筆的精細有緻，設色富
於韻味，飾物造形的衍變
等，更是研究此幢幡不可
忽略之處。

中有部分是可以使用的
呢？不管怎麼說，這些絲
綢的使用，多少讓人發現
那是帶有美的動機在內。
因為兩側幡手的灰色部
分和下方銀色繪製的幡
足裝飾色彩極為調和。再
者，綠色的部分，亦具有
邊框之作用。

圖 28-2　**天蓋旁翻飛的幢幡**　敦煌第 220 窟　《敦煌飛天》圖版 52

　　右側金剛力士的幡，幡頭中央的三角形絲綢雖已遺失，但懸掛吊圈和穿過吊圈的
紅繩帶子卻是當初之物。下方的幡足是藍染的一塊絲綢布料，在上下端接著之處，切
上二條分開的切開線，當裁剪後，讓絲線美麗又不會綻開地垂掛著。絲綢極有光澤，
若有風吹飄動起伏時，可隨著懸板捲起來收藏。懸板上可看到三個花紋的描繪。

　　這類絲綢幢幡，畫作是描在一塊絲綢上的，背後沒有裱褙，故從表面可看到背後。
其實這是有意做成這般的，因為從幡頭三角形部分極易看見。那是以一塊四角形的絲
綢布料，做二次對折，然後將幢幡從表面和背後貼壓縫製起來。再者，雖有更廉價的，
以麻布或紙張做成的幡畫遺例，但卻因材質太厚無法看透畫作，因此表面和背後，要
描上相似的畫作圖樣。因此，這類的絹畫幢幡不掛在壁上，而是垂掛在可翻轉、可飄
動的空間吧！事實上，在壁畫上可見到在高高的天蓋旁，有竹竿撐起自由翻轉的幡（例
如第 220 窟，《敦煌飛天》，圖版 52）（圖 28-2）。再者，斯坦因收藏的絹畫〈引路菩薩圖〉（第
二卷圖 9、10），在竹竿的頂端有鉤子勾吊起絲綢幢幡，行進時拿著走著呢！關於這個鉤，
在一鋪非常長的長幡上，有顯德三年（956）的紀年銘文，其上記有如下大意，「（供
養人）謹描以一條四十九尺的幡。此幡以龍鉤自高處垂而下……扭著，在風中發出有如鳥
翼在空中的擊拍聲響。在宮殿西之間，如彩色飄下般地……（《敦煌目錄》，頁 187）。」

29

唐代／8世紀
〈佛傳圖殘片——別離、搜尋〉

圖 29-41〈佛傳圖〉，在敦煌的絹畫中，有繪製佛傳圖為主的佛傳圖幢幡，不僅有釋迦的生涯，連其悉達多太子時代的種種亦包含在內，這是絹畫極其特異又重要的組合群作品。其中敘述釋迦生涯的種種事件，與釋迦誕生此世間之前，即其前生的種種事件，不僅成為佛教故事的重要題材，而且還在佛教信仰的傳播上擔當極為重大的角色。幡畫上的佛傳圖，亦如同淨土變相圖外邊框上所表現的故事圖，不少是以山水為背景而開展的。雖然這些表現略具畫風之味，但很多都是極其嚴謹的描繪，這對中國美術史的研究者而言，確是能引起極大的興趣。

此鋪幢幡（圖 29-1），當初是連續四幅配有風景的佛傳場面，每一場面有一區隔，而且在畫面的左右邊邊有空白的榜題。因此，就組合構成方式而言，類似淨土圖上外側邊緣條幅描繪的故事圖，然在丘陵和山頭的描線上，則是非常善於掌握編織時的斜線，以區隔場面，同時還創造出描繪各種行為和事件等的空間。不少的佛傳圖在榜題上都沒有記入內容，這或許由於是大家已熟知的故事，因此無必要重新加以說明吧！

此中有上、下鋪殘片，上面的這幅描繪佛傳中悉達多太子離開王宮的一段故事（圖 29-3）。圖上方呈現太子離別當下，與車匿和愛馬犍陟離別的場面。太子和車匿皆挽袖掩面、擦拭眼淚，愛馬亦跪著，顯露極其悲傷的情景，充滿著感情。在他們的

上方可見到孤立的遠山，因此這種場面，可確認是位於此幡畫的最上端位置。在接下的畫面，見到戴有三山冠的太子，在稍稍隱定後端坐岩洞的場景，在相對的山谷下，還隱約可見到車匿與犍陟的身影。下方的殘片，正是父王淨飯王派遣五位使者搜索太子下落的一景（圖29-2）。其風景亦延續到下邊，一直到第四道榜題上還可見及。由此可知，應該還描有第四場景才是。

使者們都穿著漂亮的衣服，幞頭上有飄著的尾巴，騎著馬。在風景中配著這樣的騎馬人物景象，令人想起近年在西安近郊發現的太子墓壁畫，特別是章懷太子墓的打馬球場景（參見《唐李賢墓壁畫》，圖版15-23）。

圖 29-1

佛傳圖殘片──別離、搜尋

圖 29-2　**佛傳圖殘片──搜尋**　唐代（8世紀）　絹本著色　14.0×19.0cm　Stein painting 95. ch. 1xi. 002

　　全作觀之，多少是簡略些，然而確是相當忠實於模本的模寫（今新德里國立博物館收藏的斯坦因蒐集品中，亦有同樣場景畫面的幢幡，而且幢幡上所繪的騎馬人物，可判斷幾乎是雷同的表現。）（參見《千佛洞》圖版12）。然而畫作中，亦有唐代畫家們所喜好的、點綴有美麗花朵的樹木和群像的表現。尤其畫作中岩山等施以明亮色彩的配色，是源自於7世紀後半到8世紀初活躍於唐代宮廷中的李思訓及其子李昭道，即後代被品評為青綠山水的系譜。

圖 29-3　**佛傳圖殘片──別離**　唐代（8世紀）　絹本著色　18.5×19.0cm　Stein painting 95. ch. 1xi. 002

◆ 30 ◆

唐代／9世紀
〈佛傳圖──燃燈佛授記、
三苦、入胎、待產〉

　　此鋪〈佛傳圖〉幡畫（圖30-1）與新德里國立博物館收藏的幡畫，正好是一對。
每個場面，在兩側及區隔處都以焦茶色作整齊的框邊。常見的幡畫，是以好幾個連接
的場景展開故事，而且在連續的風景中描繪好幾個場面，然而此鋪幡畫並非如此，而
是以區隔的框框中描以圖繪的方式，因此畫家不僅要熟悉幡畫縱長的畫面，而且還要
對卷軸、壁畫橫長的畫面，作一裁量後才可以繪製。至於做為說明記述的榜題，交互
地置於畫面左右兩側。新德里的幡，正如上述的，與此幅幡繪組合結構完全雷同。此
二幅幡繪可做為一對並列垂掛；或者中間擺有作品，置於其兩旁垂掛。

　　整個場景從最上方（圖30-1）開始，第一景中有二位侍者的燃燈佛，正伸手觸
摸著年輕修行者之頭。榜題上雖然沒有說明文，不過從圖面內容得知，這是在表現
這位年輕人在來生時，預言他可以成為佛陀的場面。第二景繪有好幾位人物，也可
能是同一個人物。畫面中，有帶著小孩的、有臥病床上的、有終至亡命變成骸骨的，
而畫面上方，繪有骸骨之魂正飛升到有空中樓閣的淨土上。第三景為宮廷的場面（圖
30-2），在開放明朗的建物一角，繪有摩耶夫人的睡姿，左右上方的雲朵中，有乘著
白象，雙手合掌的幼兒身影，此即白象入胎場面。最後，則是摩耶夫人生產的場面，
在緊閉圍繞的產房之外，可見到夫人在侍女隨侍的逍遙身影。

圖 30-1
佛傳圖──燃燈佛授記、三苦
唐代（9世紀）　絹本著色
60.0×16.5cm

Stein painting 96. ch. lv. 009

　　大平面簡潔的空間背景，
配以主體細緻的敘述與表現，
是敦煌文物上常見的創作方
法。畫面乍看雖簡，但卻有極
具深度的空間感。這是因為畫
面四周布以中國卷軸式框架的
處理，反使畫面達到無形的深
度。此圖分上下兩段。上段是
三一對比的主體性構圖，以及
那鮮艷的朱紅，是探究我國美
學構圖與色彩學的上好素材。
下段城邑的遠近法表現，與圖
中一著白衣、包墨罩巾的傳教
者裝束的人物，是研究東西美
術交流史的一個實例。

圖 30-2
佛傳圖──入胎、待產
唐代（9世紀）　絹本著色
60.0×16.5cm
Stein painting 96. ch. lv. 009

全圖畫面可見到以
細緻線條整齊描繪的柱
子，以及精美優雅建築的
細部表現，極類似榆林窟
第25窟壁面上所描繪的
頻婆娑羅故事，即其壁畫
上外緣框建築物表現。

　　且不論描有佛傳圖
的幡畫，而就描以大畫面
的絹畫而言，那幅唐代9
世紀的〈藥師淨土變相
圖〉（圖9-1）的外緣框
邊表現，也許最接近此鋪
畫作。故就此近似性，可
設想此鋪的創作年代應在
9世紀中葉或其後半。

31

唐代／9 世紀
〈佛傳圖殘片——入胎、誕生、
九龍灌水、七步〉

　　〈佛傳圖殘片〉（圖31-1）原本是四個場景連接成一鋪幢幡的，其場面並非如前圖，以框框來區隔，而是以低的山巒作一區隔，並連續地開展。最上段雖是簡略的畫風，但正如前圖的第三景，是入胎的場面，釋迦以幼兒之姿乘著白象在摩耶夫人之旁。第二景省略途中情景，進到誕生的場面（圖31-2）。在圖像的表現上，完全同於最早的釋迦誕生遺例。例如，1 至 2 世紀的阿瑪拉瓦提的雕刻，雖然沒有表現太子自身身影，但是摩耶夫人的侍女們仍是攤開布匹接應著太子（參見 sculptures from Amaravati Pl. VIII C [1]）。

　　圖中摩耶夫人和侍女們都是圓形臉蛋，可見這是 8 世紀後半，玄宗皇帝所喜好的唐代貴婦形像。女性們雖都繫著大大的髮髻，但是卻不見 10 世紀初期插於髮中的長笄。

　　第三景為生於藍毗尼園的太子（圖31-3），正接受著九龍的灌水。太子站立在須彌壇樣的台子上，九龍則被描繪在空中的一塊團雲中，然而一個個的頭不易看清。最下段可說與其上同一場面，即是宣說降誕的著名七步宣言。七步或足跡，正開出蓮華，除了太子所站立的蓮華外，地上有三朵，空中亦有相似的三朵，加起來恰好七朵。此鋪幡畫，整體觀之稍嫌粗造，風景的描寫色彩亦單調，可說並非嚴謹的畫作。

　　此鋪幡畫的最上端雖已缺失，但仍留下竹片。在發現的當時，據說仍留著茶色的絲綢幡足殘片。

註 **1**：原書名：D.E. Barrett: *Sculptures from Amarauati in the British Museum*, London, 1954.

圖 31-1
佛傳圖殘片——
入胎、誕生、九龍灌水、七步
唐代（9 世紀）　絹本著色
上段殘片 37.0×18.8cm　Stein
painting 91. ch. 0039、下段殘片
31.0×19.0cm　Stein painting 89.
ch. xxii. 0035

圖 31-2　**太子誕生**（〈佛傳圖殘片——入胎、誕生、九龍灌水、七步〉局部）

圖 31-3　**九龍灌水**（〈佛傳圖殘片——入胎、誕生、九龍灌水、七步〉局部）

32

唐代／9世紀
〈佛傳圖──佛七寶、九龍灌水、七步〉

　　此幅〈佛傳圖〉幡畫（圖32-1），上半部為〈佛七寶〉（在其後的一幅中有說明），下半部雖沒有作場景的區隔，但是有兩個佛傳的場面。

　　佛傳中的兩個場景，即是在藍毗尼園的〈灌水〉和〈七步〉，此幅雖較前幅的場景描繪更為嚴謹細緻，但是基本的結構完全雷同。九頭龍的頭部都聚集在黑雲中（圖32-3），而且是清楚的中土式之龍。整幅畫作，背景上以風景來表現，處點綴著花花草草。在接受灌水的太子背後，可見到兩棵樹木，在畫面的最上方也可以見到其他樹木和樹叢。最下方為〈七步〉的場面，在婦人們圍繞的太子腳邊有蓮華，其中的一婦人手上攤著一塊長布帛，似是要為太子擦拭吧！這樣的形樣，令人想起早期表現誕生遺例（參見 Sculpture from Amarauati pl. viii e [1]）上所見到的，拿著抱蒲團站著的梵天和帝釋天身影。這些群像的表現，就整體觀之，雖不太有動勢，但是一個個分開來看，每個身影都有各自的變化動作，其中亦有表現背影的。這樣的群像表現，正如西安近郊所發掘的唐墓壁畫上所見的，不僅反映了唐代人物表現的嗜好，同時，這也是基於中土畫家長年描繪群像的經驗。

　　此鋪幢幡的上半部是「佛七寶」的畫題，此亦可見於其他的絲綢幢幡和絹畫上（圖32-4，即伯希和圖錄，《敦煌幢幡與繪畫》篇，圖版6）。整體觀之，人物和標識皆乘載於雲上，

圖 32-1
佛傳圖──
佛七寶、九龍灌水、七步
唐代（9 世紀）
絹本著色
65.5×19.0cm
Stein painting 99. ch. 00114

圖 32-2　**七寶**（〈佛傳圖──佛七寶、九龍灌水、七步〉局部）

圖 32-3　**九龍灌水**（〈佛傳圖──佛七寶、九龍灌水、七步〉局部）

圖 32-4　伯希和收藏的降魔圖下欄框上的七寶圖　Mission paul pelliot vol. X 圖版 6

背景則連接著下方，因此上半和下半部並不是各別地描繪，故佛的七寶正是暗示下半部的太子不久即將成為佛的表現。人物當中，有一位將軍正持著書寫有「左一將」文字的幢幡（圖32-2）。唐朝的位階，左方是高於右方的，故意味這是「最高位將軍」之意。正是七寶「兵臣寶」的表示。右手雖是持著盾，但看起來簡直是方形多色絲綢連接起的幢幡之類。馬，如同別離場面的，馬鬃和馬尾都塗以紅色。雲彩最初塗以白色和淡色；然後再以濃色加上渦捲狀的粗線，但在線的內側，卻畫有細細的魚鰭狀線條，白色的部分宛如羽毛一般。這種手法，似是盛唐壁畫（《敦煌壁畫》圖版149）最早啟用，但是若以此圖而言，與這樣早期的遺例作一比較，可知其適用範圍相當廣泛。此幡畫上的佛七寶，可與伯希和收藏的降魔圖下方欄框上並列的七寶圖（圖32-4，即伯希和圖錄，《敦煌幢幡與繪畫》篇，圖版6），一一地對照比較。

註 1：原書名：請參見前圖（圖31）的解說之注。

33

唐代／9世紀
〈佛傳圖殘片──諸獸誕生〉

此幅〈佛傳圖殘片〉幢幡（圖33-1、33-2），正如斯坦因《西域考古圖記》（*Serindia*）書中所述的，與前述唐代9世紀〈佛傳圖殘片──入胎、誕生、九龍灌水、七步〉（圖31-1），以及其後唐代9世紀〈佛傳圖殘片──搜尋、報告〉（圖41），是屬於同一系列。這個系列的特色，即是使用易剝落又不透明的白色顏料，畫面的區隔亦是取以單調的低山頭。悉達多太子誕生之日，在王宮同時也誕生了五百種的各種畜獸。在一頭母牛之旁，有一位穿著唐代衣裳的豐滿女性，正在擠牛乳的身影（圖33-2）。

圖33-1　佛傳圖殘片──諸獸誕生
唐代（9世紀）　絹本著色
上段殘片 18.0×19.0cm、下段殘片 24.0×20.0cm
Stein painting 94. ch. xxii. 008

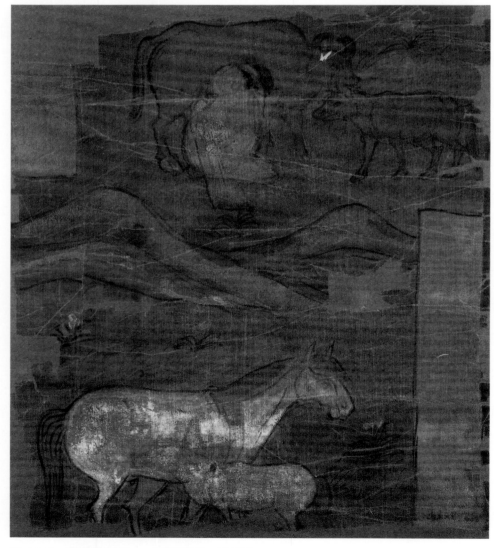

　　圖 33-2　佛傳圖殘片——諸獸誕生（局部）

34

唐代／9世紀初
〈佛傳圖殘片——習藝、武藝〉

此〈佛傳圖殘片〉幢幡（圖34-1）和下一鋪殘片，很清楚地是屬於同一系列，因為各個場景的框邊和上下，皆配有同樣趣味的小花，串接而成的美麗直條狀紋樣帶。

即是此鋪幡畫的最上段（圖34-1），正有兩手繪以施無畏印和與願印的佛坐像。這個場景，並沒有如以下連續兩個場面一樣有著整齊楷書的榜題。中段的場景描繪少年時代的太子，在床座上正接受武術和文學老師的講授（其中的一位老師手持卷軸，另一位手持笏）（圖34-2）。最下段雖僅存上半部，還是可以見到太子在競技場上的武勇表現。同樣地，並列有鐵鼓的場面，而此可見如日

圖34-1　佛傳圖殘片——習藝、武藝
唐代（8-9世紀初）　絹本著色　42.5×17.5cm
Stein painting 90. ch. xlix. 006

圖 34-2　**太子習藝**（〈佛傳圖殘片──習藝、武藝〉局部）

本的過去現在因果經繪卷上，即太子一個人便射穿這些鐵鼓。再者，空手拔下一棵立

樹的場面，也可見於新德里國立博物館斯坦因收藏的幡繪上。

　　此幡畫和下一幡畫，各個場景都有說明文字，而且非常工整清楚，與同樣以點綴

小花紋樣帶區隔畫面的另外二組幡畫（圖34-3、34-4）上所見的簡略畫風，以及毫無矯

飾的筆蹟，簡直是雲泥之別。這一組幡畫是模仿早期式樣的表現，人物看起來是貼著

畫面的，幾乎沒有空間深度之感。相反地，這鋪幡畫（圖34-1）每一個人物的關係配

置清楚，而且連建築的表現，亦有深度。

圖 34-3　佛傳圖殘片──太子誕生祈願
唐代（9世紀）　絹本著色　64.0×18.5cm
Stein painting 84. ch. xlvi. 005

圖 34-4　佛傳圖殘片──太子和五位侍從
唐代（9世紀）　絹本著色　66.0×18.5cm
Stein painting 90. ch. xlvi. 004

35

唐代／8-9 世紀初
〈佛傳圖殘片──四門出遊〉

　　此鋪〈佛傳圖殘片〉幢幡（圖 35-1、35-2、35-3），是四門出遊中的兩個場面。巴黎居美美術館收藏有：遇見老人、遇見死人、遇見沙門等四個場景的幡畫。很清楚地，此鋪與前鋪皆屬於同一系列，故知這正是暗示著釋迦生涯中的種種事件，依序地表現在一連串的幡畫畫作中。

圖 35-1　**南門**（〈佛傳圖殘片──四門出遊〉局部）

此畫製作極盡費心，其文字與奉
獻畫作上所見到的銘文完全不同，規
整有如計算出字的大小而寫進榜題之
中的。人物和建築亦是極盡用心的繪
製。此鋪幡畫正如同前鋪的，建物柱
子皆是細細的，但卻又不是榆林窟第
25 窟南壁外緣邊所見到的，完全有如
鉛筆之類的細柱等。人物和馬皆簡潔
秀麗，工整繪製。此鋪和即將述及的
唐代 8-9 世紀初期的〈佛傳圖——別
離、剃髮、苦行〉（圖 38-2）這一鋪，
在色彩和場景的整體組合結構印象上
有非常大的差異，不過細部的表現，
例如馬的頭部骨格施予細緻的描繪，
馬具亦作精密的描寫，反而令人覺得
相當的類似。兩鋪予人的第一印象在
於內容的差異極大。即此兩鋪場景，
都是太子在父王宮庭時代受庇護的生
活故事，並以整齊的文化事物做為描
繪背景，與此相對的，即〈別離、苦
行、剃髮〉的佛傳圖，對太子求道的
新生活，開始框架在荒野的環境之中，
畫家依據此框架繪製出有岩山、斷崖
的雄渾風景。

圖 35-2　佛傳圖殘片——四門出遊
唐代（8-9 世紀）　絹本著色　37.5×17.7cm　Stein painting 88.
ch. lv. 0016

圖 35-3　東門（〈佛傳圖殘片──四門出遊〉局部）

36

唐代／9世紀
〈佛傳圖——宮中歡樂、出城〉

　　〈佛傳圖〉幢幡（圖36-1、36-2）僅有二個場景，圖上亦有慣例的榜題，只是沒有文字。構圖雖不洗練，但表現率直，令人喜愛，亦極幽默。

　　上段為一建物，中有太子坐在一具尼師壇子上，其旁坐有妻子耶輸陀羅。前庭院子裡有穿著中式長袖衣裳和腳尖翹起雲頭鞋履的舞伎，正在舞樂，左右有樂人和二位盤腿坐的人物。這個場景，即是表現太子在父王王宮內充滿宮廷歡樂的生活。相對的，下段是太子半夜出城的場面。此場面在表示宮城外前後有二座城壁空間展開。下方的城壁前，有持旗的衛士，城壁上亦有旗子，而且可以見到旗子的前端，此正暗示著對面的城壁那邊亦有衛士。衛士們都是穿著鱗狀的鎧甲，除了站在城門前的那一位外，每位皆以手當耳，雖看不見什麼，但似乎都是在側耳傾聽四周有什麼聲音。有一位衛士身體橫躺（騎馬太子後方），應是在睡覺。但同樣也是比著同樣的手勢像在傾聽什麼似的。在宮城建物的左上，有太子騎著愛馬犍陟的身影，馬腳正由四天王支撐著（圖36-2）。此場景，正是太子告別宮城的生活要進入苦行之時。接著，即是前述的唐代8世紀的〈別離、搜尋〉佛傳圖，以及後述的〈別離、剃髮、苦行〉的佛傳圖上所見的，即與愛馬（犍陟）及別當（車匿）別離的場面。

圖 36-1

佛傳圖──宮中歡樂、出城

唐代（9世紀）　絹本著色　50.0×20.0cm

Stein painting 98. ch. xli. 005

圖 36-2　**太子出城**

（〈佛傳圖──宮中
歡樂、出城〉局部）

◆ 37 ◆

唐代／9世紀
〈佛傳圖──搜尋〉

　　此鋪〈佛傳圖〉幢幡（圖37-1、37-2）場景，是接續佛傳故事中的一部分，全圖除了山和岩石等之外，見不到任何區隔場面的景物。然其內容為太子離開宮城之後的四個故事。最上段右方，有四位男子正彎腰面對著發號施令的淨飯王（圖37-1）。淨飯王雖頭部缺損，但仍可確認在低的桌几前，盤腿坐在壇上的人即是。他的身體架勢，特別是那大袈裟下揮著衣袖之勢，似為五代10世紀的〈地藏十王圖畫卷──殘簡〉（第二卷圖63）上的十王表現。王的權威和激怒的樣子，正與接受指令悔恨又垂頭的男子們，形成一明顯對比。

　　正下方，即拿著小旗子，騎著馬的三位男子，正在山間奔馳的場面。非常遺憾，接下來的幾乎都缺失，但是正同於其上風景中的，可以令人知道它所描繪的，即是太子與車匿、犍陟告別的場面。愛馬犍陟，正同於描寫同樣場景的另一範例，即唐代8世紀的〈佛傳圖〉殘片，前肢前跪，頭摩擦著地面，極其悲傷的樣子。最下段是第四場景，犍陟回到了王宮。一位宮女看著空無人騎的馬鞍，另一宮女則以袖子擦淚。畫面上為了表現迎接不到主人歸來的悲哀，以及做為這個場景的主題，便將車匿畫在左方遠處。

　　若從故事的內容和表現形式兩方面來看，另一幅後述的唐代9世紀苦行，沐浴尼連禪河的佛傳圖，應是接續此鋪的。宗像清彥對接續其後的這幅畫年代，設定在10

圖 37-1
佛傳圖──搜尋
唐代（9世紀）　絹本著色
上段殘片 31.0×19.5cm
下段殘片 21.5×20.0cm
Stein painting 85. ch. xxvi. a. 003

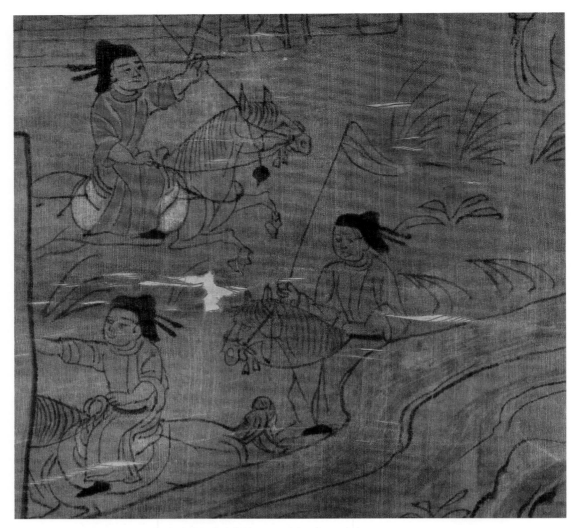

圖 37-2　騎馬搜尋太子的衛士們（〈佛傳圖──搜尋〉局部）

世紀，其文中有述：「其表現正如岩山錯綜複雜之形所見的，在造形上踏襲既有的方式，描法很清楚是『稀疏體』。描線上，強調書法的筆法，粗細清楚，因而輪廓線並非恰好，而且有中斷的點點，……並非正確地連接著。」（參見宗像清彥，博士論文[1]）。

　　製作年代，姑且不論，然而在式樣上，可說有極其優異的分析。即 9 世紀後半各種尊像的表現，可發現是與此並行開展的。例如，單獨表現金剛力士像的幡畫，可發現輪廓墨線，亦是間斷的，並沒有好好完整地連接著。

　　此幅在發現之時，大部分的附屬品既已缺失，但留下三隻青綠色絲綢的幡足。

註 1：原書名：*The Rise of Ink-Wash Landscape Painting in the Tang dynasty*, Princeton, 1965, p46.

38

唐代 / 8-9 世紀初
〈佛傳圖──別離、剃髮、苦行〉

　　此鋪〈佛傳圖〉（圖38-2）的幡足和其他附屬品，都已缺失，但是主體部分幾乎完全留下。此鋪與新德里國立博物館的幢幡（參見 Desert Cathay, 2 vols, pl.6）[1]，正好為一對。新德里的，即是〈太子出城〉，和緊接著其後的〈國王和侍女〉、〈家臣們的討論〉場面，而這幅幢幡，也就是緊接著的〈別離、剃髮、苦行〉（圖38-2）的各個場面。從圖面表現來看，此鋪的各場面都非常的完整，而且是在極優美的山水中展開。

　　全鋪故事圖面乃自上而下，而山水的表現，則是自下而上的結構組合。最下方為僅纏著紅色腰帶的太子，坐在岩石上專注於瞑思的身影（圖38-1）。太子裸露出的上半身和手腕已經消瘦下去了。此場景設定在長有小樹的綠色山丘上，而且兩側山谷峭立。山谷以墨線勾出輪廓，且以橙色和墨色渲染勾畫強調山襞。此場面以斜線描繪，上方則形成另外一塊的寬廣台地。

　　台地的左側，以銳利的鉅齒狀線表示邊緣，右側以墨線和墨染顯現峭立的斷崖。背後有聳峙的山勢，山頂上則有花樹連接，而且在左側擠壓的狹窄台地上，立有榜題（圖38-2）。此榜題從圖面看，可發現有塗過白色的打底，但是原先塗的是黃色顏料，沒有文字。其旁山勢是作左右相稱的起伏，而且在山頂的對頭有著翻湧的雲彩。

圖 38-1　**苦行**（〈佛傳圖──別離、剃髮、苦行〉局部）

　　上段的〈別離〉場面（圖38-3），亦是在台地開展，但是顯現台地邊緣的鉅齒狀線斜斜地橫切過畫面的下方，成為與其下場景區隔的一道邊界。太子同於中段場景，正坐於岩石上，但是面向卻相反，就圖面本身言，是背左而坐。太子之前，跪著有車匿和犍陟，在其背後聳立著二重、三重相互交疊的險峻綠色山崖，整座山崖的右端有剖開的斷崖，而右側卻是開展的平地，途中有小樹連線的山丘。平地的盡頭，可眺望到流水和青色的遠山，空中亦有厚重的亂雲，正翻攪著。

　　此幅畫作的背景，具有山水畫的充分要素。令人印象特別深刻的是高高斷崖的另一邊，可以一望無際地遠望平地的部分，誕生了其後畫家郭熙所稱的「深遠」式樣。這是中國非常卓越獨自的表現式樣，而石窟的壁畫，若是更大的故事畫山水表現，那就可以達到更好的效果。

製作年代，從美術上所顯示
的高度水準，以及花樹細部表現
等來看，是可以上溯至 8 世紀的。
不過從中段剃髮場面，立像上那
優雅蝴蝶結白色緞帶的扭曲表
現，與前曾提及的唐代 9 世紀〈藥
師淨土變相圖〉上的菩薩（圖 9-5、
9-6），作一比較的話，可發現以
細部來比對是較為妥當的。基於
這樣的比較檢討，可發現當然有
更早的要素，然而若視作 9 世紀
中葉左右的作品，應是更妥當的
判斷。

註 1：M. A. Stein; *Ruins of Desert
Cathay, 2 vols*, London, 1912

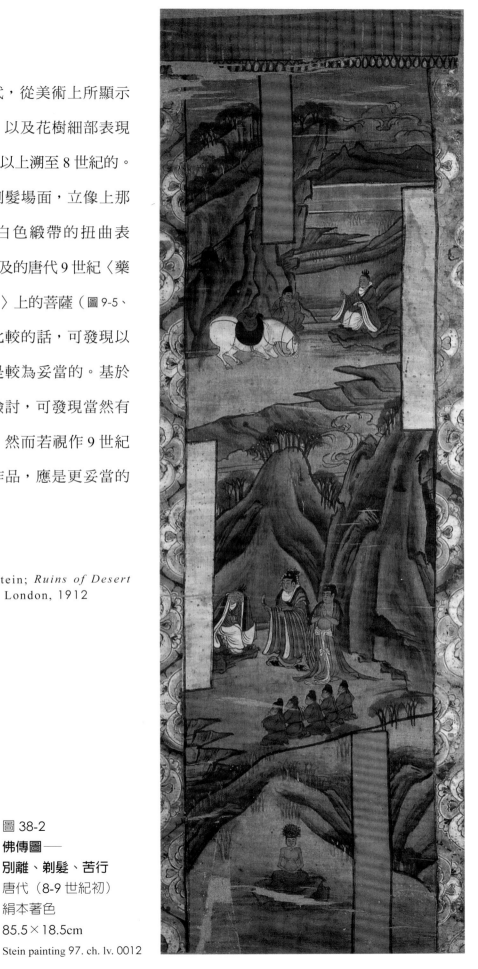

圖 38-2
佛傳圖——
別離、剃髮、苦行
唐代（8-9 世紀初）
絹本著色
85.5×18.5cm
Stein painting 97. ch. lv. 0012

圖 38-3　**別離**（〈佛傳圖──別離、剃髮、苦行〉局部）

　　大塊斧劈的山勢，平遠橫塊面的空間深度增遠，是本構圖表現氣勢不同於眾的主要原因。然而細細端視，人物的線描，以及那匹象徵聖潔的白色寶馬，其標準體態與毫無廢筆的技法與全圖對比相看，使人有如置身於今天常謂的「東西融會」的技法創作。事實上中土地大、南北相異，北方乾旱黃土高原孕育出的壯闊大筆胸襟，再加上南方水鄉澤國細柔生態景物的物化，自然醞釀出多元趣味的色彩及筆法。

圖 38-4　剃髮（〈佛傳圖──別離、剃髮、苦行〉局部）

39

唐代／9世紀
〈佛傳圖——苦行、沐浴尼連禪河〉

圖 39-1　苦行（〈佛傳圖——苦行、沐浴尼連禪河〉局部）

此鋪〈佛傳圖〉幢幡的場景（圖39-2），是接續前述的〈搜尋〉（圖37-2）那幅佛傳圖，各個場景都是在稀稀疏疏的風景中展開。最上段（圖39-3）有五位男子正要躲避雷雨，慌慌張張地逃避。雷神表現在太鼓連串起的圓圈中，然而被遠山一朵長尾巴的紫色渦捲狀雲彩包圍著。事實上，這正是太子在接受苦行中，肉體辛苦的表現。太子正如下一場面描繪的（圖39-1），於岩洞中專注冥思，身體已達骨瘦如柴的境地。洞窟的兩側清楚地聳立著大型的岩山，構圖均整化一。洞窟前有兩頭雄鹿悠閒地坐著，正如魏勒所說，這表示此地是個不妨礙太子修行的好環境，同時也

圖 39-2
佛傳圖——苦行、沐浴尼連禪河
唐代（9 世紀）　絹本著色
69.0×19.3cm
Stein painting 100. ch. xxvii. 001

圖 39-3　**雷神和五位侍者**（〈佛傳圖──苦行、沐浴尼連禪河〉局部）

是太子自身不動心的暗示吧！最下段的場面（圖 39-4），是屠弱的太子圍著腰布，裸身捉住柳樹的小枝，自尼連禪河爬上去，而上方正有樹神，乘著雲等待伸手迎接太子。

圖 39-4

沐浴尼連禪河（〈佛傳圖——苦行、沐浴尼連禪河〉局部）

　　此圖是世尊為太子時，入苦行林修道，帶著疲憊枯瘦之身步行於尼連禪河，正要沐浴的情景。這時，楊柳樹上乘著雲彩而來的「樹神」正伸出手欲救身上僅纏著腰部的太子。然而此幅構圖最值得大書特書的，是印度的神聖佛傳圖世界，在中土的大唐，已完全被作為一種風景畫創作的表現，來構思其題材。此即是大唐作者溶於風景山水而來的自然人間觀，與心中聖潔淨化意念而來的宗教人性觀，相互輝映後的創作。這使得各國的美術史學者，不得不對大唐時代創作之美，加以最尊崇的讚佩。

40

唐代 / 9 世紀〈佛之七寶圖〉

　　此鋪〈佛之七寶圖〉（圖 40-1、40-2）幢幡只有佛的七寶，卻採用等同於有佛傳故事的幢幡形式。正如唐代 9 世紀的一鋪，在佛傳圖旁描繪有好幾個七寶圖。若依愛麗絲蓋提（Alice Getty）所下的定義（參見 The Gods of Northern Buddhism p.194），可知七寶即是：

1、金輪寶 / 自天宮降下，為轉輪王所授予，象徵佛法的理想。

2、神珠寶 / 象徵願望的達成。

3、玉女寶（貴婦人的身影）/ 象徵冷靜的憐憫。

4、白馬寶 / 象徵迅速具備佛陀的資質。

5、白象寶 / 馱負八萬四千卷經典的廣布，象徵信仰無限的弘通。

6、主藏臣寶（文官的身影）/ 因寬大而摒除貧困，因正義保證幸福。

圖 40-1　**佛之七寶圖**　唐代（9 世紀）　絹本著色
62.5×20.0cm　Stein painting 93. Ch.xxxvi a.004.

7、主兵臣寶（將軍的身影）

／以智慧劍驅散敵人。

正如識讀此鋪畫作所知的，內容和次序多少是有變動的。例如，既使是此鋪畫作，在伯希和收集品的〈降魔圖〉下欄（參見伯希和圖錄，《敦煌幢幡和繪畫》篇，圖版6）中，主藏臣寶就非文官身形，而是換成矩形的箱子（圖 32-4）。還有前述唐代 9 世紀的〈佛傳圖〉（圖 32-1），是以文官的身影人物與四角箱子兩者來表現，相反的，神珠寶並非單獨的，而是以馬背來乘載，就畫面一算亦有七寶。中土的畫家一向喜好左右對稱的構圖。特別是伯希和收集品的〈降魔圖〉（圖 32-4）下欄，中央以金輪寶、兩側為武將（主兵臣寶）和貴婦人（玉女寶），然其外側為白馬寶和象寶，之外的外側則為神珠寶和櫃子（主藏臣寶）。

各個七寶雖有題榜，不過皆未有文字。其式樣近於圖 36-1、37-2、39-2 的絲綢幢幡。

圖 40-2　**佛之七寶圖**（局部）

41

唐代／9世紀
〈佛傳圖──搜尋、報告〉

　　正如上野 Aki 所指證的（《敦煌本幡畫佛傳圖考》，頁12），此鋪〈佛傳圖〉幢幡同於前述的〈入胎、誕生、九龍灌水、七步〉（圖31-1）佛傳圖，不僅描有花紋樣的三角形幡頭部分，而且和中心部分的絲綢是連接成一塊的。再者，此鋪幢幡原來有茶色的幡足，但是現在被取下來，保管於他處。就此點言，亦同於前述的〈佛傳圖〉幢幡。又，區隔場面的山岳表現和彩色，與〈佛傳圖〉幢幡及〈諸獸誕生〉佛傳圖幢幡（圖33-2），皆屬於同一個系列，而且話題亦與釋迦生涯有關。此幢幡的最上段為父王淨飯王命令家臣搜尋太子的場面（圖41-1），其下為家臣騎著馬搜尋的場面（圖41-3），再下為空手而回的家臣正在報告的場面（圖41-2）。最後，為了表現宮廷的歡樂生活，有樂人演奏；為了表示舒適的環境，有屏障圍起的庭園，其內有蓮池、竹、六角堂（其內為「箱」或像「台」之類的，可以擺放東西）（圖41-1）。畫面上，白色的顏料已嚴重剝落，其他的顏色仍保留著。

圖 41-1　**佛傳圖──搜尋、報告**　唐代9世紀　絹本著色　77.5×19.0cm　Stein painting 92. ch. xx. 008
圖 41-2　**王正傾聽搜尋的報告**（〈佛傳圖──搜尋、報告〉局部）
圖 41-3　**騎著馬的搜尋者**（〈佛傳圖──搜尋、報告〉局部）

41-1

41-2

41-3

42

唐代 / 9 世紀末〈菩薩像〉

　　斯坦因、伯希和的蒐集中,有不少是描繪觀世音菩薩像的絲綢幢幡。這些絲綢幢幡在細部的表現上,雖然每鋪都不同,但是在吊起三角形的幡頭時就會扭轉過來,或者折返過來,似乎從任何的角度都能看到。其中,有好幾鋪看起來非常像,那是依範本或依「紙板型樣」描繪的。其實在攜自敦煌的繪畫類作品中,便夾有這類「紙型」樣板。這類紙型的菩薩像連細部亦小心謹慎地描繪,不過僅留下邊緣部分,主要部分皆被切除掉。目前,新德里國立博物館就有這類收藏（參見 Serindia, P.999.ch.00425）。此類紙型與大英博物館收藏的,即打洞著色的方式完全不同,可說是另一種的繪製方式。換言之,是以圖樣複寫到絹布上的一種。

　　此鋪唐代 9 世紀末〈菩薩像〉（圖 42-1、42-3、42-4）極其類似下一鋪的唐代 9 世紀末的〈菩薩像幡〉,以及同時代的〈引路菩薩像〉（圖 42-2）。這鋪作品最引人注意之處就在於不透明的鮮艷色彩,與衣服輪廓上所見到的流暢墨色線條。特別是來自髮飾且垂掛在頸部而下細細的白色環帶,腰際而下自蓮華座翻轉折下的寬邊白色腰帶,都極度醒目,令人印象深刻。細細看,輪廓線極為精密,絲毫無斷接之處,色彩亦強烈對比。例如,袖緣處表面為紅色、裡邊為綠色,衣紋則是細細的條狀,交互搭配地塗上。這一套常見的表現方法一直傳承下去。例如 14 世紀的永樂宮壁畫等,一直到元代壁畫上還可見到。再者,在前述的唐代 8 世紀末至 9 世紀初的〈普賢菩薩像〉

圖 42-1　菩薩像
唐代（9世紀末）　絹本著色
71.0×17.5cm　Stein painting 136. ch. lv. 0026

圖 42-2　引路菩薩像
唐代（9世紀末）　絹本著色
61.5×17.6cm　Stein painting 122. ch. 0083

圖 42-3　菩薩像（局部）　　　　圖 42-4　菩薩像（局部）

（圖 12-1），雖可見到極盡類似的親切性，不過整體表現卻不同，在描線的柔軟性和

色彩上，不僅見不到壓制性，而且對已定型的形像亦不固執，完全依於需求而以不同

的線來表現。事實上這鋪普賢菩薩像與此鋪菩薩像等之間，大約已有百年的差距了。

43

唐代／9 世紀末
〈菩薩像〉

此鋪〈菩薩像〉（圖 43-1、43-2），讓人一看就清楚唐代後半段的佛教繪畫，畫家們對於絢爛的裝飾品味是相當專注的。特別是綠、白的半圓形花紋，左右交互搭配，形成大紅色 V 字形天衣更為顯眼。這鋪作品是從幡頭取下另外保管的，不過有些部分是用精緻的紅色綾緞絲綢縫合。整體而言，雖沒有系統性的圖案表現，然而裝飾性上卻是極度費心且又耀眼。

此鋪作品與另一鋪〈引路菩薩像〉（圖 42-2）正好是正反一對，是同形的，故知是使用紙型樣板描繪的。事實上從一部分的輪廓線，亦可證明是使用這種方法製作的，尤其那正確穩健的線條，正是極好的說明。菩薩像取以不動的姿勢，端正站立，不過上方天蓋的華穗裝飾，同於通常使用在文殊菩薩和普賢菩薩

圖 43-1 **菩薩像** 唐代（9 世紀末） 絹本著色 68.2×19.0cm Stein painting 125*. ch. i. 005

圖 43-2　菩薩像（局部）

等，暗示一種橫向動態的表現，故顯現出幾分動搖的感覺。全圖最為貴重之處是圖
上有黃色底的榜題，其上還畫有一枝花草。若對照唐代 9 世紀末的〈菩薩像〉（圖
56-1）描法，可知此菩薩像幡也是 9 世紀末的。

44

唐代／9 世紀〈地藏菩薩像〉

敦煌的菩薩像，一向都不具備足以讓人辨識的特性，因此要比定為那一類菩薩頗為困難。不過也有例外的，像寶冠中有化佛的話，就容易比定為觀世音菩薩像。穿著拼接的衣服，又剃著如僧人般的頭形者，那只有地藏菩薩了。

此鋪〈地藏菩薩像〉（圖 44-1、44-2）在題榜中清楚寫有「南無地藏菩薩」之名。然而這六個字卻是反過來寫，有如倒過來的字，而且還塗以不透明的色彩，不過有一部分已不清楚。相對的，菩薩像的描線卻明快流暢。若與下一鋪〈地藏菩薩像〉（圖 45-1）互相比較，可知正如圖示的，袈裟是自菩薩左肩垂下的。

地藏菩薩在印度的佛典中幾乎不登場，但是在中土卻極有人氣，就敦煌製作的絲綢幢幡中可見到相當的數量，不論斯

圖 44-1　**地藏菩薩像**　唐代（9 世紀）　絹本著色　58.0×18.5cm　Stein painting 125. ch. i. 003

圖 44-2、44-4　地藏菩薩像（局部）
圖 44-3　地藏菩薩像的麻布幢幡幡頭

44-3

坦因或伯希和的，皆有數鋪。正如此圖所見，
剃頭形樣的地藏菩薩可視為是10世紀的作品，
地藏因被視為出外人的守護者，故是戴頭巾的
姿態。朴英淑女士於海德堡大學提出的博士論
文中，對地藏信仰的意義作了分析。依其論文
可知，在敦煌文書中有極多短短的地藏菩薩
經。經中宣說地藏菩薩守護著地獄中遭遇到煉
獄之苦的人們，若書寫地藏菩薩經、唱頌地藏
菩薩名號，即可再生西方淨土。因此地藏毫不
遜色於觀音，而與阿彌陀信仰緊密地結合在一
起。

　　此鋪絲綢幢幡帶有幡頭（圖44-1、44-3）。
頭部上方的天蓋部分可見到白色繩帶吊掛的地

44-2

44-4

方。這鋪絲綢幢幡在被蒐集時，就有曾被修補過的痕跡。幡頭的中央處使用粉紅、綠色染成花的絲綢，在幡頭懸掛上，還記有「華」字。兩側濃濃的藏青色燕尾旗，即所謂的幡手，已被取下保存了。

唐代／9世紀〈地藏菩薩像〉

此鋪唐代9世紀〈地藏菩薩像〉（圖45-1、45-3）兩肩上穿有拼接的衣服，右斜且向前，兩手之形幾乎同於前圖的地藏菩薩，不過右手持有水瓶。剃髮的頭部和顎、鼻之下塗青色，表情極盡中土式，尤其透過柔軟曲線，巧妙地表現出地藏菩薩深深的慈悲和憐憫之心。兩手的輪廓線部分使用紅色線條，然在右肩下方和自左肩到胸的部分，可見到白色的點線。這個可認為是描繪天衣的記號，不過這是因於正想要以波狀的墨線和鮮豔的色彩描繪的天衣時，隱藏在美麗衣服下的格子條紋，正好被重合的二塊布透過光所看到而停筆下來。打底的部分幾乎沒有施彩，如原底色般，正如同唐代9世紀半的另一鋪〈地藏菩薩像〉（圖45-2）。此鋪像整體更為雄偉健壯，手持寶珠，穿著的袈裟施以綠、紅、淡青的強烈對比色。地藏菩薩像的手，部分有紅色的描線，外表卻又不同，兩者可認為大約是近於9世紀末的同時期之作。

圖 45-1　**地藏菩薩像**　唐代（9世紀）　絹本著色　63.7×17.0cm　Stein painting 118. ch. 1xi. 004
圖 45-2　**地藏菩薩像**　唐代（9世紀後半）　絹本著色　90.2×27.3cm　Stein painting 119. ch. xxiv. 004

45-1　　　　　　　　　　　　　　　　　　　　45-2

圖 45-3　地藏菩薩圖（局部）

　　地藏之名，幾不見於今天所留存的任何印度梵文原典上，故西方學者咸謂這是「中土佛化」的中國獨特信
仰實物。因地藏菩薩大為盛行於中土，甚至今天中國各地也到處可見其譯名。根據朴英淑女士的博士論文可知，
地藏為中土塑造一不遜於觀音的信仰人物，且與阿彌陀信仰是相連的。故由此可想到各地的地藏題榜之名，二
者常有關連。此圖線條柔和美麗，眉宇飽滿、神采奕奕，寫盡中土高僧慈悲忍和的救世濟眾菩薩行徑。

46

唐代／9世紀初〈菩薩像〉

此〈菩薩像〉（圖46-1、46-2）
和其後的二鋪，是構成一套的十鋪
幢幡像中的三鋪。其餘的在新德里
國立博物館，其中有一些已收錄於
松本榮一的《燉煌畫研究》中（圖
版201、202）。這些圖像很清楚並
非中土式敦煌畫表現，故可認為與
和闐或西藏美術有關。

這一連串的絲綢幢幡像可見到
共通的特色，即每一尊像兩足微
開，腳線幾乎垂直，看不出有膝蓋
關節；上半身裸露，僅僅披有花格
紋樣的天衣（其中有二尊以纏繞在
腰間替代垂掛在肩上）。緊貼纏繞
的腰布，其前端從腰際的兩腳間直
直垂下。頭戴金色三山冠，再者，
吐蕃期敦煌畫諸像常見及的黑色縐

圖 46-1　菩薩像（局部）

圖 46-2　菩薩像
唐代（9 世紀初）　絹本著色
44.5×14.5cm　Stein painting 101. ch. lvi. 008

褶捲髮，自耳後垂至肩上，背後則有長的圓形頭光。另外還有幾尊像，寫有簡短的西藏文字語句。

斯坦因也好、魏勒也好，對於劍橋大學收藏的 11 世紀尼泊爾古文書中的細密畫，因繼承了孟加拉灣 8、9 世紀的佛教美術流派，因此促使大家注意這兩者之間的類似性（Etude sur L'iconographie Bouddhiquede L'Inde. Paris, 1900-1905. Pl.4-6）〔1〕。近來透過葛羅普之說，獲得更具說服力的驗證（Archäologische Funde, p.94）〔2〕。葛羅普從復原來自巴拉瓦斯德（Balawaste）的繪畫，一直到視此批為和闐的繪畫止；特別注意到巴拉瓦斯德的特有表現，即上半身裸露的菩薩其腳卻是不靈活的態勢。再者，衣飾上亦見到同樣的構思設計。依其見解的話，知敦煌所發現的繪畫一定較巴拉瓦斯特（可認為是 6 世紀）下限到若干的年代，而且有必要從唐代 9 世紀初的〈金剛菩薩像〉（圖 48-2）上端的花紋，與被視為 8-9 世紀的伯孜克里克的第 9 窟花紋作一比較。

註 1：原書名：A. Foucher, *Étude sur L'iconographie Bouddhique de L'Inde*. Paris, 1900-1905.）。
註 2：原書名：Gerd Groupp, *Archäologische Funde aus Khotan, Chinesisch-Ostturkestan*. Bermen, 1974.

47

唐代／9 世紀初
〈菩薩像——蓮華手菩薩？〉

此鋪〈菩薩像〉（圖47）同於前鋪的菩薩像姿態，而且也看不出有膝蓋的關節，腰間亦纏繞貼身的腰布，兩肩垂掛花紋樣的天衣。然而身材卻較高而細長，整體的調子也較濃郁。中亞的造像，最顯著的就在臉部的表現特色上。正如瑪利歐・布薩利（Mario Bussagli）對來自克孜爾的造像，與如下所指證的完全契合。即「以壁畫為範本，可看出基以增減法則為基礎的印度式遠近法。此像面向左方的顏面，眼睛前的面相就畫得大大的，而拉向側邊的就畫得狹小的。前者即是依『增』，後者依『減』的法則。這樣的兩大區塊，就以鼻樑到下顎前端連成的一線區劃出來。為了讓她顯眼，故施以高彩度。」（Painting of Central Asia, p.32）而取以相同法則的描繪，亦可見於丙辰銘（836）〈藥師淨土圖〉（圖16-2）上的脅侍菩薩上。

圖 47　菩薩像——蓮華手菩薩？
唐代（9 世紀初）　絹本著色
51.0×14.0cm
Stein painting 102. ch. lvi. 003

唐代／9世紀初〈金剛菩薩像〉

　　此鋪〈金剛菩薩像〉（圖48-1、48-2）同屬於這一套三鋪中的其中一鋪，不過卻令人印象極為深刻。右手秉持著小形的金剛杵，五官不僅正面且朝向前面。左手手掌向前，其旁蓮莖正穿過手指。上方正如其他幢幡，沒有華蓋，卻描有美麗花紋的邊飾。從腰到腳的部分可看到細緻的布柔暢地纏繞著，其上則繫有散布白色小花紋樣的天衣，然在右腰之處卻寬鬆地綁著。身體塗成青銅色，眼為橫長形的杏仁眼，在純白的底色點上黑色的瞳孔。這種眼的表現是非常印度式的，可與鑲嵌銀眼的金銅像作一比較（參見 Himalayan Art, p.53，拉達克的芬揚寺八世紀金銅像）[1]。再者，不止於眼，亦有飾帶以白色表現的菩薩；雕刻的作品，亦可見到以銀鑲嵌表現的範例。這樣的特徵，強力地證明這一連串的繪畫與和闐美術是有關的。

　　在新德里國立博物館的同一系列，可認為亦是這樣的吧！不過，這三鋪菩薩像幢幡在製作上卻是不同於敦煌及其他的，而是使用紋理細緻、質地均勻的鼠色絲綢，而其他大部分菩薩像幢幡，卻是各用二條的縱線且又稍粗的紋理絲綢。絲綢寬度亦較其他的狹窄，兩端邊緣通常描以黑褐色的顏料，相對的，而這三鋪菩薩像幢幡卻以細絲綢縫製的。再者，布的織邊一直貫穿到作品的下端。由上述觀之，絲綢的生產地不僅不同，製作的習性亦不同，然而絲綢幢幡的菩薩像並非沿著縱線，而是成直角的使用絲綢。因此，在式樣、技法上，這三鋪菩薩像幢幡與其說是受到西方的影響而在敦煌

圖 48-1　金剛菩薩像（局部）

製作的，還不如說是在別的地方製作好之後帶到

敦煌來的，較為妥當。這一連串的菩薩像幢幡，

包括新德里國立博物館的，雖記有西藏的文字，

卻見不到一鋪有題榜。

———————

註 1：原書名：M. Singh; *Himalayan Art, London*, 1968

圖 48-2　**金剛菩薩像**　唐代（9 世紀初）

絹本著色　55.0×14.5cm　Stein painting 103.

ch. 1vi. 002

唐代 / 9 世紀末〈觀世音菩薩像〉

　　此〈觀世音菩薩像〉（圖 49-1）與另一〈菩薩像〉（圖 49-2），強烈受到印度的影響，特別是那臉與身體的動作。正如斯坦因已揭示的，此鋪作品比起新德里國立博物館的（參見 Serindia, pl.78. ch. i. 002），似乎是更早期的模寫，而且省略的地方也不少。對於德里的作品，斯坦因記有「整體而言，令人感受到其威嚴、氣度、敏捷的動作等，衣服上則是沿著腳的動勢而表現其衣襞。」（Serindia p.1008）

　　顏面橫向，不過身體卻大大斜斜地扭轉，故可見到背面，然腰卻向前挺出，肩則往後拉。整個身體就應合此動勢韻律，左手往後繞向下方延伸，右手掌上則承戴著蓮蕾向後，且又向上方持著，看起來宛如束起髮柱支撐起的頭髮。事實上，亦過度地曲折到耳朵的地步。

　　此鋪像很清楚具備有印度的風貌，不過大致還是中土製作的。特別值得注意的是，衣裳上有橙色和紅色式樣化的衣襞，天衣的顏色並非白色，而是青色，不過正同於一鋪中土式的菩薩（圖 56-1）又扭又轉地垂於蓮華座之旁。雖不見文字，但有題榜這一點，正可說明那是中土製作的。

圖 49-1　**觀世音菩薩像**　唐代（9 世紀末）　絹本著色　65.0×18.0cm
圖 49-2　**菩薩像**　唐代（9 世紀末）　絹本著色　52.0×17.5cm　Stein painting 113. ch. 00462

49-1

49-2

唐代／9世紀末〈觀世音菩薩像〉

　　此鋪〈觀世音菩薩像〉（圖50）頗有類似前三鋪〈菩薩像〉（圖46、47、48）之處，因此正如前述的，大概也是來自和闐地區的吧！不過，其類似點在於腳線幾乎是拉得筆直的，腳尖大大且生硬，體型的特徵則是兩隻手腕比身高還長，再者，腰帶的尖端垂下兩腳之間。整個空間，描繪得滿滿的這一點，也極類似。事實此鋪像描得極大，頭部與上方的邊飾已重合一起。不過其他方面，例如在像的打底與衣紋的起稿，則是頻頻使用墨線等，讓人見及在中土製作的特徵。

　　細部上的好幾處表現（圖50），可見到9世紀後半的特徵。例如，嘴唇閉合畫出的墨線兩端，有微微的翹起，而且自此處描有向下方的筆尖細線，且短短畫下。在頭髮之後，有用紅橙色描繪打上蝴蝶結垂至肱的裝飾等。這種裝飾在前述的唐代咸通五年，即864年紀年的〈四觀音文殊普賢圖〉（圖23-1、23-4）的四觀音像上，可見到相同的趣味，故知到9世紀末時，此種裝飾趣味已確立了。〈菩薩像〉（圖55-1）上，也有自頸背垂下的蝴蝶結裝飾，應是相同之趣吧！

圖 50
觀世音菩薩像
唐代（9 世紀末）
絹本著色
56.5×16.5cm
Stein painting 124. ch. 00113

唐代／9世紀〈觀世音菩薩像〉

　　此〈觀世音菩薩像〉（圖51）中，可見到不少與前鋪〈觀世音菩薩像〉共通的要素，不過魏勒卻道出：「這是斯坦因蒐集的敦煌畫中，非常少數，且並非工匠而是真正畫家製作的作品之一。特別是，優異的色彩」。事實細細的看，色彩的暈染和強調之處，極盡用心且極度精密。就眉毛來看，在原有的銳利墨色輪廓線之間，施以綠色等。頭髮青色，沿著兩肩長垂而下，不過在頸部四周卻加上墨線以強調其調子。手，先以墨打稿，施以色彩後再以紅色描繪，然後加以暈染、強調。天衣的邊緣和腰帶下端的邊緣都施以濃濃的藏青色。腰帶的端角亦描繪出獨特的轉折曲彎，且正垂下到兩足間。兩腳之處，衣裳的衣襞左右相稱，此等正同於前述的〈菩薩像〉（圖46、47、48），腳線直直的，腳不僅大大的，而且完全感覺不到生硬不合適之處。此鋪作品的年代，多少令人猶豫不決。整體繪製得非常好，在時代上應是稍早一些的，不過就蛋形的顏面和極勻稱的上半身線條等來看，視為9世紀半應是妥當的。

圖 51
觀世音菩薩像
唐代（9 世紀）
絹本著色
46.0×18.0cm
Stein painting 130. ch. lv. 0032

唐代／9 世紀〈文殊菩薩像〉

圖 52-1　文殊菩薩像　Mission paul pelliot vol.xv，圖版 126

　　此鋪〈文殊菩薩像〉（圖 52-2）若依金維諾個人的觀察，從腳部和具備密教持劍的表現來看，是可以視為吐蕃期的敦煌繪畫。正如前述的，很清楚具備與和闐美術有類似性關聯的一連串幡畫（圖 46、47、48）。此鋪文殊菩薩，戴有與三山冠同類型的冠飾。頭髮高高束起，濃厚的捲毛則垂於兩肩，瓔珞上一個個地清楚點上白點。其絲綢是縱線，不過材質卻異於前述的三鋪〈菩薩像〉（圖 46、47、48），同於敦煌中土式繪畫作品的絲綢幢幡。絲綢的紋理較粗且使用二條縱線。再者，空白的題榜、塗有焦褐色的邊緣，還有菱形中各配一個花紋的下端邊飾等，好幾個表現上的要素都極盡近於中土式的菩薩像幡。

　　類似的文殊菩薩像（圖 52-1），亦為新德里國立博物館所收藏（參見魏勒的《敦煌畫目錄》，頁 288）。

圖 52-2
文殊菩薩像
唐代（9 世紀）
絹本著色
39.5×14.5cm
Stein painting 137. ch. xxvi. a. 007

53

唐代／9世紀
〈菩薩像──寶手菩薩？〉

圖 53-1　**觀世音菩薩像殘片**　唐代（9世紀）　絹本著色
28.5×19.0cm　Stein painting 105. ch. lv. 0031

此鋪〈菩薩像──寶手菩薩？〉（圖53-2）和另一鋪〈觀世音菩薩像〉（圖53-3），屬於同一系譜，故可認為是在敦煌製作的，不過亦可窺知印度的特色。其中一鋪（圖53-3）兩手捧持火焰寶珠，臉和上半身施以金彩。另一鋪（圖53-2）兩腳纏有布滿小花紋樣且透明的腰帶，正與同一系譜的唐代9世紀〈觀世音菩薩像〉（圖53-3）是同樣手法的表現，不過身軀的顏色卻是紅色。兩鋪像在瓔珞上都有三列白點，腰帶則是一左右相稱的衣襞，自然地垂至兩腳之間，這樣的表現可認為正是表示來自西方的影響。一鋪唐代9世紀殘片的〈觀世音菩薩像〉（圖53-1），亦屬同一系譜。

圖 53-2　菩薩像──寶手菩薩？　唐代（9世紀）

絹本著色　41.0×18.5cm　Stein painting 109. ch. lv. 100

圖 53-3　**觀世音菩薩像**　唐代（9世紀）　絹本著色

46.5×17.5cm　Stein painting 108*. ch. lv. 004

54

唐代／9世紀〈文殊菩薩像〉

魏勒的《敦煌畫目錄》（頁153）有如下的記述，即「此鋪作品（圖54-1）是『完全印度式樣』的，令人有相當強烈的印象感受，對於唐獅，並非從中土，而是從印度來探求，相對的，文殊亦從印度探求」。但是，若與伯希和收藏的幢幡作一比較，可知在9世紀的敦煌已經很清楚地將中土和印度兩種式樣緊密地結合在一起了。絲綢幢幡的問題，就在騎乘獅子的文殊表現上（圖54-3，即伯希和圖錄，《敦煌幢幡和繪畫》篇，圖版126）。圖54-3中獅子的姿態和此鋪非常近似，不過沒有侍從，而且鬃毛也並非多彩，僅以綠色表示等來看是大大不同的。菩薩像正好是對照的。伯希和收藏的文殊像是中土式的，全身幾乎被衣服包起來，具莊重穩健之感。相對的，〈文殊菩薩像〉（圖54-2）則穿著鑲寶石的裝身具和有網眼格的紫色袴子和天衣，確實具官能性之感。

圖54-1　**文殊菩薩像**　唐代（9世紀）　絹本著色
66.0×24.8cm　Stein painting 141. ch. 0036

圖 54-2　文殊菩薩像（局部）

　　羊跏如意座上，正以最美的三曲腰身，輔以動人的美艷體態，是此圖在美學構圖上，最值得大書特書的一筆。三曲美、如意座，皆源自印度，然將其二者融合於人體美學表現上，造化成又動人、又艷華、又沉醉、又莊嚴、又虔敬、又慈祥的多面人性需求境界，是中土大唐藝術家足以炫耀於全世界的「最極品之作」。此圖還為女性「襪褲演進史」的研究，提供珍貴史料，9 世紀的大唐匠師已能作出「織花絲褲」的設計，實是中土光耀於全世界的科技工業史的又一明證。

圖 54-3
伯希和收藏文殊菩薩像
Mission paul pelliot vo1. XV 圖版 126

　　這樣的類似性和差異性，早就出現在唐代吐蕃期丙辰銘（836）的〈藥師淨土圖〉（圖16-1）上。換言之，在敦煌，特別是菩薩像等的表現，已盛行對印度式的、中土式的兩方取以並行的描繪，這一點應該再加確認。而一位作家使用不同的範本，描繪兩方的可能性，應是可以考量的。

55

唐代／9世紀
〈菩薩像〉

　　此鋪〈菩薩像〉（圖55-1、55-2）的絲綢幢幡，幾乎是完整的原型，在唐代9世紀末的〈標準幢幡〉（圖28-1）一文中，已對整體的結構作過介紹了。現在再對其繪畫部分作一探述。此鋪畫家，很明顯是一位專注於從菩薩背後描繪菩薩像手法的表現者。事實上，此菩薩像較另一唐代9世紀末〈觀世音菩薩像〉（圖49-1）更朝背後來描繪，而且兩者頭部正好側面相反地相對著。

　　從額頭到口一筆繪成，而側臉的眼正凝視著鼻樑。這樣的表現，偶而亦可見於其他的敦煌畫作

圖55-1　菩薩像　唐代（9世紀）　絹本著色
58.0×18.0cm　Stein painting 120. ch. 0025

　　從華蓋頂至頭光圈、莊身具、蓮花座，這麼完整的菩薩圖像表現，是敦煌遺品中極為珍貴的兩鋪（圖55-1、56-1）。此兩幅圖受東西方學者所矚目，幾達五十多年討論不斷的，就是二菩薩手中所持的「琉璃碗」。換言之，即是全世界玻璃藝術文化史上，爭論其起源的焦點。當然，今天已知並非埃及人所發明，而是由巴比倫文化的腓尼基人最早做出，再傳至東西方各地。

圖 55-2　菩薩像（局部）

上。有趣的是，從背後描繪兩肩的部分。例如其他作品經常見及的菩薩兩肩上的頭髮，在此鋪〈菩薩像〉（圖 55-2）卻是自寶冠後如一串結實的鬌髮垂下，在兩肩的頸背處，如兩條大大的花串垂掛著。其他衣服表現等，同於正面像的處理。大多數的幡畫如下一鋪的〈菩薩像〉（圖 56-1）上的白色長腰帶，在此鋪圖上僅在蓮華座上看到一些些。

　　此菩薩右手持琉璃鉢，不過正同於下一鋪菩薩像所捧持的器形，那是施以磨花精工打造的。此器形口緣並非向內凹縮，而是向外開展，因此器內可放置蓮蕾。這種玻璃容器，大概是自伊朗輸入的。

56

唐代／9 世紀後半
〈菩薩像〉

這是一鋪相當精緻美麗的〈菩薩像〉（圖56-1、56-2），稍帶超然又抑制情感的威嚴儀態，與唐代 9 世紀末的一鋪〈金剛力士像〉（圖58-1）相當的懸殊。事實上，這兩鋪可發現是同一組作家群所製作的一連串成套作品。

菩薩的顏面並非唐代理想的女性，怎麼地說，多少帶有男性的，也可視為具備有宋代這類人物像上所見到的過度豐腴的容貌。眼的四周和顏色仍留有暈染，然而在墨線上比前述的〈金剛力士像〉（圖58-1）還細。若仔細觀之，在鼻線和顏面的輪廓線上，並非一氣呵成畫出，而是短筆接續的畫法，而〈金剛力士像〉則更為誇張。

兩鋪像的白色腰帶（圖58-1、56-1）極有效果性，都塗以不透明的鮮白色，然後以水墨線清

圖 56-1　菩薩像　唐代（9 世紀後半）　絹本著色
18.5×26.3cm　Stein painting 139. ch. 001

圖 56-2　菩薩像（局部）

楚勾勒出。其他的天衣，則是顯出極度透明感的表現功夫，右手掌向上捧持一個大大的琉璃碗（圖 56-2），亦令人窺見那致力於透明感的用心表現。類似的透明器形，亦可見於壁畫上（如萬佛峽第 15 窟，亦有菩薩持著透明的水瓶。）（參見羅寄梅：No.2445）。再者，在正倉院的御物（《正倉院的琉璃》，圖版 1），以及伊朗的出土品中，亦可見及實物。因此，敦煌佛教圖像中出現東西絲路交易的貴重遺物，其實並不令人感到驚訝。

57

唐代／9 世紀末〈金剛力士像〉

　　此鋪重彩的〈金剛力士像〉絲綢幡畫（圖 57-1、57-2、57-3），底邊有濃厚藏青色的絲綢幡足，不過懸板已缺失，側邊一邊為青綠色，另一邊為綠色的風幡。底邊的幡足和一邊的幡手，同於唐代 9 世紀〈持國天像〉（圖 62-2）兩側所見到的幡手，印製著繪有花和蟲的紋樣，不過無紋的綠色幡手似是後來補上的。

　　此像有如雄健肌塊，且又施以濃豔粉紅色的表現，比下一鋪的〈金剛力士像〉（圖 58-1）更為強烈，給人更為異常的印象。一塊塊肌理狀的方格包含顏面、手及肉體露出的部分，不僅使人聯想到筋肉的組織，而且加強了被視為鬼神的表情。斯坦因在《西域考古圖記》（Serindia）一書中，對這種極端的臃腫肌塊的表現，評為無意義的「庸俗的粉紅色」塊狀肌理紋樣。

圖 57-1　金剛力士像（幡頭上半部）

圖 57-2

金剛力士像

唐代（9 世紀末）

絹本著色　64.0×18.5cm

Stein painting 123. ch. xxvi. a. 005

　　金剛力士信仰，源自古印度神話時代，帝釋天所擁有極堅極利、攻無不克的金剛武器。其名取自「金中最剛」之意。後來持金剛守護天神者，名為「執金剛」。因而當為佛教教義所吸收時，成為護衛世尊與佛法的護法神，名為金剛力士或仁王。早期為獨尊，如雲崗、龍門所見；後來才衍生出二像體系。此二神像（圖57-2、58-1）孔武魁梧，內韌外剛，筋骨鍊鍊，結拳叱嚇，實是大唐藝術家，寫盡經中最剛的人間「比擬性」美學探索與展現之作。

圖 57-3

金剛力士像（局部）

　　事實上，這種表現在早期的佛、菩薩作品中亦可見及，正與強調穩健莊重、圖式性的暈染相互抗衡，而且還被認為與視為是鬼神和邪鬼（如唐代9世紀的〈廣目天像〉腳下蹲趴的邪鬼〔圖63-1〕）是同樣的類別。當然，同樣的手法在壁畫上也不少，最好的例子就是敦煌第159窟（8世紀末～9世紀初）著名〈涅槃圖〉上的王族和哀悼者，以及同窟不用墨的輪廓線，以沒骨描繪的文殊脅侍（參見敦煌文物研究所，《敦煌壁畫》，北京，1959，圖版174）。再者，紀年的作品，可列舉〈熾盛光佛及五星圖〉（897）（圖27-1）。此圖的年代可作為9世紀後半，乃至10世紀前半的根據。

唐代／9世紀末
〈金剛力士像〉

此鋪〈金剛力士像〉絲綢幢幡（圖
58-1、58-2）從它的原本尺寸，絹底顏色，以
及墨的描線和彩色來看，可認為與唐代9世
紀末〈菩薩像〉（圖56-1）是一組的。現在
仍在石窟裡的塑像，若為中尊的話，可認為
這一鋪就是吊在其左右的，故兩鋪幢幡應有
密切關係。

長廣敏雄於1964年發表有關此類繪畫
為主題的論文。就對此鋪幢幡，長廣指證
出在洛陽千祥庵的久視元年（700）拓本
上，可見到同於此像的〈金剛力士像〉（圖
58-7）刻製作品，即指甲尖緊握、腳後跟緊
緊踏住、身體姿態扭轉的金剛力士像。再
者，幾乎同時代的西安大雁塔上，也有一
鋪同樣的刻像。值得注意的是，此等力士像
可作一比較。即，這二鋪類似的例子，描線

圖 58-1　金剛力士像
唐代（9世紀末）　絹本著色　79.5×25.5cm
Stein painting 132. ch. xxiv. 002

圖 58-2　金剛力士像（局部）

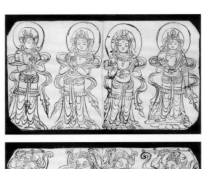

圖 58-3　金剛經冊子──四菩薩
八天王像　唐代（9 世紀末）
紙本墨畫　15.8×26.4cm（展開）

British Library, Stein 5646

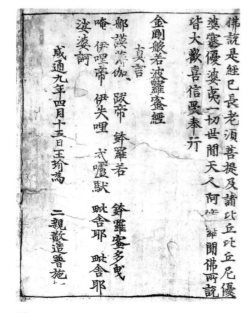

圖 58-4
金剛經扉頁──祇樹給孤獨圖（卷末）

圖 58-5　金剛經扉頁──祇樹給孤獨圖　唐代咸豐 9 年（868）　銘紙本、
木板畫拓印　23.7×28.5cm（木板尺寸）　British Library, p.2. ch. ciii.0014

（a）   （b）

圖 58-6　**冊子本彩繪——四天王像**　唐代（9世紀末）　紙本墨畫　21.5×29.0cm　（a）、（b）為「表」與「裡」
Stein painting 158*. ch. 00156

靈活順暢，在顏面、膝等的表現重點上，那雄健筋肉是有意識賦予的，不過與其相對的，斯坦因收藏的此鋪圖像及類似的像，雖使用短而緊湊且有粗或細的墨線打底稿，然而卻不為其所束縛，極自由誇張地表現其效果。事實上，這也正反應了金剛力士像流行的表現方法。再者，分藏在大英博物館和大英圖書館，被視為10世紀左右的四組中，以墨繪製的二組絲綢幢幡，即唐代9世紀末〈四菩薩八天王像〉（金剛經冊子）（圖58-3）、〈四天王像〉（冊子本彩繪）（圖58-6），和有咸通九年（868）紀年的，即著名的〈祇樹給孤獨圖〉（金剛經扉頁）木板畫（圖58-4、58-5），都可以見到相同的身形。

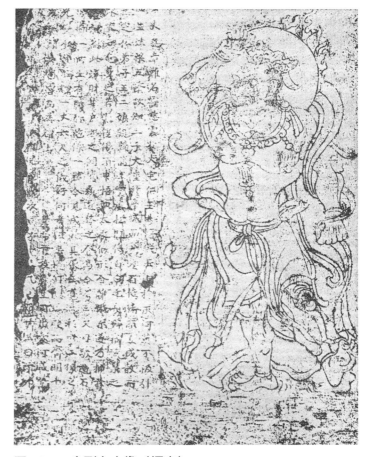

圖 58-7　**金剛力士像（拓本）**
唐代久視元年（700）　洛陽千祥庵存古閣舊藏
長廣敏雄，《中國美術論集》，講談社，1984.09，頁501，圖292

59

唐代 / 9 世紀末〈金剛力士像〉

　　此鋪〈金剛力士像〉絲綢幢幡（圖 59）與前述的唐代 9 世紀〈菩薩像〉（圖 55-1），都是留下完整的幢幡形式，而且已於前述的〈標準幢幡〉形式一文中揭示了。在新德里國立博物館，亦收藏有極類似的幢幡（參見 Serindia, ch. i. 006）。其像，張口露齒，兩邊的幡手並非綠色，而是青色等，兩者多少有些差異。事實新德里國立博物館，也留下完整的幢幡形式，底邊的懸板花式紋樣也是同樣的顏色，同樣的配置。

　　此畫作從其表現可清楚知之，那是描繪一連串同樣形式幡畫中的其中一鋪。這些畫作的描寫，與前述的〈金剛力士像〉（圖 58-1）相比，明顯欠缺活力，其差異首在雄健筋肉的表現上。兩者皆以暈染和墨線顯現鼓起的筋肉，不過此鋪稍溫順些，也吻合其型，與前圖的強而有力之感正相對照。再者，都有火焰光，不過表現上卻有差異。大多的場合，火焰僅有頭光外緣和其一角可以看到而已，相對的，前述的〈金剛力士像〉（圖 58-1）有如煽起的威猛之勢，在圓形頭光的內外正燃起熊熊的火焰。另一方面，此鋪像和新德里國家博物館中的同形幡像，火焰卻都在圓形框框內，失去了生氣。這些畫可視為大致是在 9 世紀後半的同時期製作的，其差異可說是在各個畫家的手法上吧！

圖 59
金剛力士像
唐代（9世紀末）
絹本著色
67.5×18.6cm
Stein painting 134. ch. 004

唐代／8世紀末至9世紀初
〈天王像〉

　　此鋪〈天王像〉（圖60）有好幾處與現今收藏的大部分天王像不太一樣，因此在年代上應是較其他的更早些。此像從外觀看，完全是一般的人物，幾乎沒有具備天王像那神鬼般的特色。其像身瘦穿鎧甲，正輕快步行在雲上。顏面則以墨線纖細地描繪出，再施以粉紅的暈染。兩手亦是同樣的手法，作合掌印勢，雖未穿上兜，不過鎧札卻高高豎起，正保護頸背處。此襟為皮革，且緊緊繫住，表面為青色，裡頭為紅色。一片片串結的鎧甲下，可見到有精美花式紋樣刺繡的紅色裡衣（圖60）。袖和裳有白和黃二色描成的四朵花作成十字形的另外小花紋樣。白色是最後塗上去的，特別是在其他色上，是再次重疊上去的。例如，在鎧邊的青色皮革，鎧裡頭橙色邊緣所拉的白線等，皆可見及。同樣的白色，即使直接塗在絲綢上，也幾乎剝落掉。不過，像右腳脛的一部分，仍留下有白色，可知此具鎧甲的所有皮革片，原來都是塗以白色，然後再一一地縱線以墨，橫線以同於鎧札邊緣的青色紮縛起來。

　　在畫面下方，可見及畫家有趣的三幅速寫。其中二幅是以紅線描繪，而最大的是墨線，僅唇部施以顏色。

圖 60
天王像
唐代（8 世紀末至 9 世紀初）
絹本著色　60.0×18.5cm
Stein painting 126. ch. 0095

唐代／9世紀
〈廣目天像〉

此鋪〈廣目天像〉（圖61-1、61-2、61-3）和下一鋪的〈持國天像〉（圖62-2），都是極其精美的裝束，令人一看，就知與其說是鬼神還不如說具備了王者的風範。再者，與其說是威嚇怖畏的，還不如說是深思熟慮的王者像。兩腳邊的邪鬼，亦非銳不可當且頭髮長長的鬼形，而是顯現如人一般表示支持且又理解的面孔。其描法，近於前述唐代9世紀末的〈金剛力士像〉（圖58-1），是以一段段有粗細的短線來描繪的。這種描法，長廣敏雄（《東方學報》，1964），認為正與8世紀前半金剛力士像的柔順通流暢描法，相互對照。若依長廣之說，此鋪畫作視為9世紀半或後半是洽當的。

圖61-1　**廣目天像**　唐代（9世紀）　絹本著色　45.6×16.0cm　Stein painting 106. ch. xlix. 007

61-2

61-3

斯坦因視此與下一鋪
的〈持國天像〉（圖62-2）
絲綢幢幡屬於同一系譜的。
這是因於兩者技法相似，再
者與其他絲綢幢幡不一樣
的是，下邊兩者皆有絲綢的
織邊，因此其縱線相對於
畫面，是取以水平而走的，
還有兩者皆有青綠色的幡
足等。

圖 61-2、61-3　廣目天像（局部）

62

唐代／9世紀〈持國天像〉

　　此鋪〈持國天像〉雖是小形幡畫（圖62-1、62-2），不過卻是精緻作品，可惜附屬配件已不見了，然而底邊仍完整地保留在菱形格中，並施有花紋的邊飾。此天王像持弓，故是東方的守護神，即所謂的持國天。其兩腳幾乎是穩健有力地踏於中央，上身稍稍地扭動傾向左方。兩腳下的邪鬼，單眼遮住，緊緊咬牙地縮著，自腰而上裸露地支撐著持國天。此邪鬼正如唐代9世紀末的一鋪金剛力士像，正取以相同手法的描線表現。

圖 62-1　持國天像（局部）

此畫作的主調，在於鎧札的黃色及鎧甲邊皮革的紅色，同樣的表現亦可見於 8 世紀末的絲綢幢幡〈多聞天像〉殘片上（圖 62-3）。畫作中的白色是當初就塗於畫面各處的，不過白色直接塗於絹布上，照例容易剝落，不過目前，在邪鬼的張眼處，皮帶上獅頭的眼、角等處仍可見到留下來的明亮白色。這些地方，大概是使用較其他處更為優質的上等顏料吧！輪廓線是施以彩色後再以墨色勾勒，不過整體並非劃一，有好幾處例如邪鬼紅色腰帶上的描線等，墨色皆較淡。這些淡墨線，是在其上加上彩色，再施以淡淡的墨線呢？還是從底層製作時就施以的線呢？現在皆不清楚。再者，亦有在使用紙型樣板之時便施以彩色，然後再從兩邊描上細部和輪廓線的例子。

圖 62-2　**持國天像**
唐代（9 世紀）　絹本著色
40.5×15.5cm
Stein painting 122. ch. xxvi. a. 006

圖 62-4　**廣目天像**　萬佛峽榆林窟第 25 窟前空
Buddhist Wall-Paintings 圖版 14

圖 62-3　**多聞天像**　絲綢幢幡殘片　唐代（8 世紀末）
絹本著色　47.5×20.0cm　Stein painting 135. ch. 00106

　　此鋪畫作，若和極類似的新德里國立博物館〈廣目天像〉（參見《千佛洞》圖版 27），以及從其旁落款被視為是 901 年之前製作的榆林窟壁畫〈廣目天像〉（參見 Buddhist Wall-Paintings PL. 14）[1]（圖 62-4）相比，亦有不清楚的部分。例如此鋪中的三鋪廣目天像，雖是同樣的體勢，且穿同樣的鎧甲，但皮帶上的獅頭卻是省去了下顎，其他二鋪卻是完整的，因而其機能即可清楚的顯現。

─────────
註 1：原書名：Langdon Warner, *Buddhist Wall-Paintings. A study of a Nillth-Century Grotto at Wan Fo Hsia.* Camdridge, 1938.

唐代／9世紀〈廣目天像〉

此鋪〈廣目天像〉絲綢幢幡除
了懸板外，其餘皆是完整的形樣（圖
63-1），底邊的黃綠色幡足現在存
放在別處保管。薔薇色的幡頭及綠
色絹底上施以濃藏青色或銀泥，畫
出花和鳥、蟲等的兩邊幡手，今天
仍予人華麗的印象。幡頭上懸掛的
吊環，類似8世紀包袱經卷的袱布
（圖6-3），以有綠色紋樣的厚底絲
綢作成。畫作的兩側邊，則是紅底
布滿白色小花紋樣的細邊裝飾。廣
目天腳下的邪鬼，可說幾乎完整地
保留下來。畫作的最上端，可見到
從裡邊貼住的明亮青色大片絲綢，
不過畫作的地方未被切落掉，故知
這是修補的。頭光上有升起的紫色

圖 63-1　**廣目天像**
唐代（9世紀）　絹本著色
64.5×17.5cm　Stein painting 108. ch. 0010

63-2

圖 63-2、63-3

廣目天像（局部）

雲彩，看起來宛如天蓋一般。從這個表現，可發現這鋪畫作極度近似伯希和收藏的二

鋪〈持國天像〉（參見伯希和圖錄，《敦煌幢幡與繪畫》，圖版 193.194）。

在《西域考古圖記》（Serindia）一書中，依斯坦因的想法，將其收藏的天王像（含

新德里國立博物館總共 24 鋪）分為二大類。一類如前鋪唐代 9 世紀的〈持國天像〉（圖

63-3

62-2）等系列的「印度式」菩薩幢幡；另一類如此鋪畫作等系列的「中土式」菩薩幢

幡（參見 Serindia，頁939-941，頁1032-1300）。不過，實際上看起來是有些差異，但是所

有的幾乎是同性質的，可以說只不過是表示其類別的多樣化吧！因此，所有的天王像

並非是從何處或他處攜來，可視為都是在敦煌製作的。

64

唐代／9世紀
〈廣目天像〉

　　此鋪〈廣目天像〉（圖64-1、64-2）的附屬配件皆已不存，然而從畫作上的纖細描寫，可知這是一件極為優異的作品。特別令人注目的是，其墨線和朱線交互運用的鬍鬚描寫、膝蓋下方用帶子紮綁的長長覆脛上的白色暈染表現等。下邊的邪鬼，僅留下稀疏的紅色毛髮，不過從其下僅有的色彩，可充分察知那是描有蹲坐的鬼形。廣目天以鑲有寶石劍鞘之刀，壓住邪鬼的頭部。嘴唇線成一銳利的角度，故此畫作應可認為是9世紀後半的作品。

圖 64-1
廣目天像
唐代（9世紀）　絹本著色
43.5×18.0cm　　Stein painting 137*. ch. 0035

圖 64-2　廣目天像（局部）

唐代 / 9 世紀
〈多聞天像〉

在著名的唐代 9 世紀的〈行道天王圖〉（第二卷圖 16），以及五代 10 世紀中葉左右的〈行道天王圖〉（第二卷圖 15），可見到眾多的侍者隨從，以及體勢形態完整的多聞天（毗沙門天）像等。不過，此鋪〈多聞天像〉（圖 65-1、65-2）卻是同於其他的天王像，只有表現一尊的。因其右手持寶塔，故知是多聞天，正站在穿著像拖鞋之類的履物、伏地且頭髮黃色的邪鬼上。下邊貼付有菱形殘片接起來的邊飾，但是在裝裱時卻弄錯了，把它完整擠塞在和像之間的間隔上。上方頭光上突起的部分，只留下茶色的雲。頭光依於這類像的慣例，塗有淡淡的綠色，而邊緣卻是用濃綠色框圍起來。再者，從寶冠飄浮起的白色裝飾飄帶，正以頭光為背景清楚地浮現出來。

圖 65-1　**多聞天像**　唐代（9 世紀）　絹本著色 50.5×17.5cm　Stein painting 138. ch. iv. 0018

圖 65-2　多聞天像（局部）

唐代 / 9 世紀〈天王像殘片〉

◆ 66 ◆

　　此〈天王像殘片〉（圖66）雖僅剩下殘片，不過卻如實地道出在敦煌就是有這麼精美的繪製作品。此作其寬達 75 公分，也許還更寬呢！若為立像一定是超過 2 公尺的大畫。這與使用紙板圖形製作的幡畫完全不同，事實這鋪畫作在描繪上、色彩上，極度細緻且用功。

　　此像因持弓，故是東方的守護神持國天吧！顏面的輪廓，雖以生硬粗重的墨線來表現，不過卻幾乎隱藏在嘴邊、顎、鬢角所形成的磁場中，像被無數光滑線條所表現的濃密鬚髯吸引著。其穿著雷同於其他的天王像，不過表現得極為華麗。鎧札每一層都塗上不同的顏色，刺繡的花紋邊緣，附上鑲有青色寶石的精美飾物，而且裝飾得極為豪華。

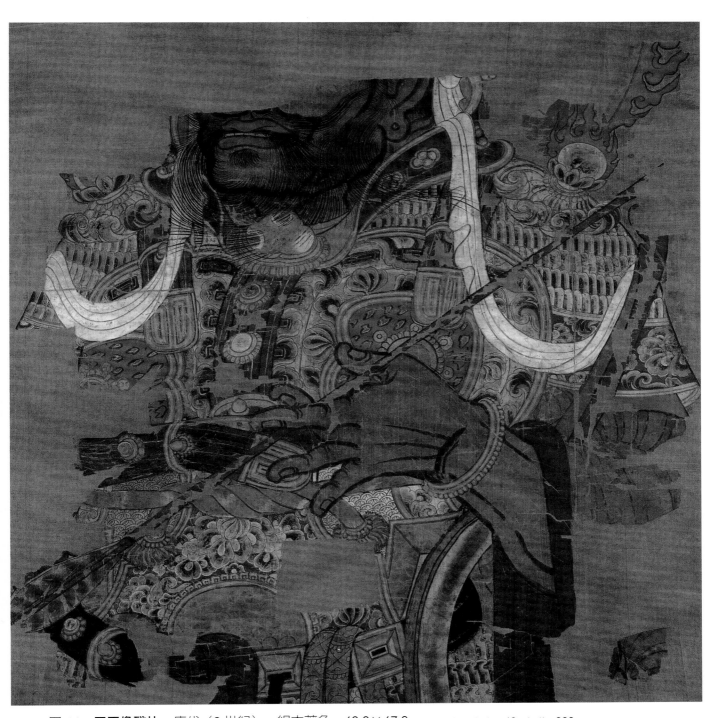

圖 66　**天王像殘片**　唐代（9 世紀）　絹本著色　63.0×67.0cm　Stein painting 69. ch. liv. 003

參考文獻

References

Akiyama, Terukazu/Matsubara, Saburo eds./A. C. Soper, transl.; *Arts of China II. Buddhist Cave Temples*. Tokyo and Palo Alto, 1969.

Andrews, F.H.; *Wall Paintings of Buddhist Shrines in Central Asia*. London, 1948.
    Catalogue of Wall-paintings from Ancient Shrines in Central Asia and Sistan. Delhi, 1933.

Bannières......see Mission Paul Pelliot.

Barrett, Douglas; *Sculptures from Amárávati in the British Museum*. London, 1954.

Bussagli, Mario; *Painting of Central Asia*. Geneva, 1963; reprint London, 1978.

Chavannes, Édouard; *Les documents chinois découverts par Aurel Stein dans les sables du Turkestan chinois*. Oxford, 1913.

Ch'en, Kenneth K.S.; *Buddhism in China: A Historical Survey*. Princeton, 1964.

Dabbs, Jack A.; *History of the Discovery and Exploration of Chinese Turkestan. Central Asiatic Studies VIII*. The Hague, 1963.

Fairbank, J.K./Reischauer, E.O./Craig, A.M.; *East Asia: Tradition and Transformation*. London, 1973.

Fong, Mary H.; *Secular Figure Painting of the Tang Dynasty, A.D. 618-906*. Ph. D. dissertation. New York University, 1972.

Foucher, A.; *Étude sur l'iconographie Bouddhique de l'Inde*. 2 vols. Paris, 1900-1905.

Fujieda, Akira; "The Tun-huang Manuscripts", in *Essays on the Sources of Chinese History*. Fitzgerald Festschrift, Canberra 1975, pp. 120-128.
    "The Tun-huang Manuscripts: A General Description", Zinbun, no.9,1966, pp. 1-32; no. 10,1969, pp. 17-39.

Gaulier, Simone/Jera-Bezard, Robert/Maillard, Monique; *Buddhism in Afghanistan and Central Asia* (Iconography of Religions XIII, 140) pt. 1. Leiden, 1976.

Getty, Alice; *The Gods of Northern Buddhism.* Reprint of 2nd ed., Tokyo, 1962 (original edition Oxford, 1914).

Giles, Lionel; *Descriptive Catalogue of the Chinese Manuscripts from Tun-huang in the British Museum.* London, 1957.

Gropp, Gerd; *Archäologische Funde aus Khotan Chinesisch-Ostturkestan.* Die Trinkler-Sammlung im Übersee-Museum Bremen. Bremen, 1974.

Karmay, Heather; *Early Sino-Tibetan Art.* Warminster, 1975.
　　　　　　"Tibetan Costume, Seventh to Eleventh Centuries", *Essais sur l'Art du Tibet.* Paris, 1977.

Lo, Lucy L.S. and James C.M.; "The Mural Paintings of the Yu-lin Cave at Anhsi", *Annual Bulletin of the China Council for East Asian Studies*, no. 3, Taipei, 1964.

Maspero, Henri; *Documents chinois de la troisième expédition de Sir Aurel Stein en Asie Centrals.* London, 1953.

Munakata, Kiyohiko; *The Rise of Ink-wash Landscape Painting in the T'ang Dynasty.* Ph. D. dissertation. Princeton University, 1965.

Mirsky, Jeannette; Sir Aurel Stein. *Archaeological Explorer.* Chicago/London, 1977.

Mission Paul Pelliot......XIII *Tissus de Touen-houang.* Conservés au Musée Guimet et à la Bibliothèque Natiohale. Paris, 1970.
　　　　　　XIV, XV *Bannières et peintures de Touen-houang.* Conserves au Musée Guimet. 2 vols. Paris, 1974, 1976.

Oldham, C.E.A.W.; "Sir Aurel Stein", *Proceedings of the British Academy*, vol. 29, 1943.

Pak Youngsook; *The Cult of Ksitigarbha: an Aspect of Korean Buddhist Painting.* Ph. D. dissertation. University of Heidelberg, 1981.

Pelliot, Paul; *Les Grottes de Touen-houang.* Paris, 1921-24.

de Silva, Anil; *Chinese Landscape Painting.* London, 1967.

Singh, Mandanjeet; *Himalayan Art.* London, 1968.

Soper, Alexander Coburn; *Literary Evidence for Early Buddhist Art in China.* Ascona, 1959.

Stein, M. Aurel; *Sand-buried Ruins of Khotan: Personal Narrative of a Journey of Archaeological and Geographical Exploration in Chinese Turkestan.* London, 1903.
　　　　　　Ancient Khotan: Detailed Report of Archaeological Explorations in Chinese Turkestan. 2 vols. Oxford, 1907.

Stein, M. Aurel; *Ruins of Desert Cathay: Personal Narrative of Explorations in Central Asia and Westernmost China*. 2 vols. London, 1912.

Serindia. Detailed Report of Explorations in Central Asia and Westernmost China. 5 vols. Oxford, 1921.

The Thousand Buddhas: Ancient Buddhist Painting from the Cave-Temples of Tun-huang on the Western Frontier of China. London, 1921; reprint Kyoto, 1978.

Innermost Asia: Detailed Report of Explorations in Central Asia, Kansu and Eastern Iran. 4 vols. Oxford,1928.

On Ancient Central-Asian Tracks: Brief Narrative of Three Expeditions in Innermost Asia and North-Western Kansu. Chicago, 1974 (London, 1933).

Tomita, Kojiro/Tseng Hsien-Chi; *Portfolio of Chinese Paintings in the Museum: Yuan to Ch'ing Periods*. Boston, 1961.

Vandier-Nicolas, Nicole; *Sáriputra et les Six Maitres d'Erreur*. Fac-similé du Manuscrit chinois 4524 de la Bibliothèque Nationals (Mission Pelliot en Asie Centrale V). Paris, 1954.

Waley, Arthur; *Ballads and Stories from Tun-huang*. New York, 1960.

Catalogue of Paintings Recovered from Tun-huang by Sir Aurel Stein, London, 1931.

Warner, Langdon; *Buddhist Wall-Paintings. A Study of a Ninth-Century Grotto at Wan Fo Hsia*. Cambridge, 1938.

秋山光和，〈敦煌本降魔変（牢度叉鬪聖変）画巻について〉（《美術研究》187, 1956, p. 1~30）。
〈敦煌における変文と絵画──再び牢度叉鬪聖変（降魔変）を中心に〉（《美術研究》211, 1960），p.1-28。上述二篇，收於《平安時代世俗画の研究》（東京，1964）。

〈敦煌絵画の編年資料その1〉（《東京大学文学部文化交流研究施設研究紀要》1, 1975）。

〈敦煌壁画研究の新資料〉（《佛教藝術》100, 1975）。

秋山光和・松原三郎・閣文儒，《中国美術II》（東京，1964）。

上野アキ，〈敦煌本幡画仏伝図考〉上（《美術研究》269, 1970）下（《同》286, 1973）。

円城寺次郎，〈敦煌の美〉（東京，1978）。

熊谷宣夫，〈西域の美術〉（《西域文化研究》V，京都，1962）p.31~170。

佐和隆研，〈敦煌石窟の壁画〉（《西域文化研究》V，京都，1962）p.182。

石嘉福・鄧健吾，《敦煌への道》（東京，1978）。

長廣敏雄，〈敦煌絹幡　金剛力士像について〉（《東方学報》vol. 35，京都，1964）p.551~558。

藤枝晃，〈敦煌写経の字すがた〉（《墨美》97，1960），p.2-40。

　　　　〈北朝写経の字すがた〉（《墨美》119，1962），p.2-36。

　　　　〈ペリオ蒐集中の北魏敦煌写本《成实論》巻第八残巻（F. P. Chinois 2179）解題〉（《墨美》156，1966），p.2-36。

松本榮一，《燉煌画の研究》（全2巻）（東京，1937）。

　　　　〈燉煌拾遺〉（《佛教藝術》28，1956，p.66~70；29，1956），p.46-50。

望月信亨，《仏教大辞典》（全10巻）（東京，1933，改訂版 1973-74）。

　　　　《正倉院のガラス》（東京，1965）。

　　　　《正倉院の絵画》（東京，1968）。

　　　　《中国石窟　敦煌莫高窟》（1、2、3巻）（東京，1980-81）。

敦煌文物研究所，《敦煌壁畫》（北京，1959）。

　　　　　　　　《敦煌彩塑》（北京，1978）。

　　　　　　　　〈安西榆林窟勘查簡報〉（《文物》1956年第10期），p.9-21。

馬世長，〈関于敦煌藏経洞的幾個問題〉（《文物》1978年第12期），p.21-33。

謝稚柳，《敦煌藝術叙録》（上海，1955）。

劉敦楨主編，《中国古代建築史》（北京，1980）。

　　　　《唐永泰公主墓壁畫集》（北京，1963）。

　　　　《唐李賢墓壁畫》（北京，1974）。

　　　　《唐李重潤墓壁畫》（北京，1974）。

　　　　《敦煌飛天》（北京，1980）。

　　　　〈安西榆林窟的壁画〉（《中国東亜学術研究計畫委員会年報》3，台北，1964）。

羅寄梅資料，羅氏夫妻（James C.M. and Lucy L. S. Lo）攝製的敦煌莫高窟和万仏峽榆林窟壁画写真。

　　　　日本存放在東京大学文学部文化交流研究施設內。

國家圖書館出版品預行編目資料

西域美術（一）：大英博物館斯坦因蒐集品
〔敦煌繪畫1〕
編集・解說／羅德瑞克・韋陀 編譯／林保堯 著

--初版. -- 臺北市：藝術家，2014.8
320面；21×29公分.--

ISBN 978-986-282-133-6（平裝）

1.大英博物館 2.蒐藏品 3.佛教藝術

069.841 103009773

西域美術 一
大英博物館斯坦因蒐集品〔敦煌繪畫1〕

編集・解說 | 羅德瑞克・韋陀（Roderick Whitefield）

編譯 | 林保堯

發 行 人 何政廣
主 編 王庭玫
編 輯 林容年
美 編 張紓嘉
出 版 者 藝術家出版社
台北市金山南路（藝術家路）二段165號6樓
Email：artvenue@seed.net.tw
TEL：（02）2371-9692〜3
FAX：（02）2396-5707
郵 政 劃 撥 50035145 藝術家出版社

總 經 銷 時報文化出版企業股份有限公司
桃園縣龜山鄉萬壽路二段351號
TEL：（02）2306-6842

製 版 印 刷 鴻展彩色製版印刷股份有限公司
初 版 2014年9月
再 版 2022年4月
定 價 新台幣980元
I S B N 978-986-282-133-6（平裝）

法律顧問 蕭雄淋